Trudi Schoop

....komm und tanz mit mir!

Komm,
so komm doch,
komm,
so komm doch,
komm und tanz mit mir!

Ein Versuch, dem psychotischen Menschen durch die Elemente des Tanzes zu helfen

unter Mitarbeit von
Peggy Mitchell

illustriert von
Hedi Schoop

Deutsche Übersetzung von
Marigna Gerig und Ursula Zieschang

Die letzte Überarbeitung und teilweise Neufassung dieses Buches erfolgte durch die Autorin in freundschaftlicher Zusammenarbeit mit Walter Keller-Löwy während des Sommers und Herbstes 1981.

HUG
MUSIKVERLAGE

PE 3002

"Was macht es denn, wie weit wir gehn?"
sprach der Weissfisch sehr gewandt.
"Du weisst doch, auf der andern Seite
gibts ein and'res Land.
Wenn wir weit von England sind
ist Frankreich plötzlich hier.
Drum sei nicht trüb, mein Schneckchen lieb,
und komm und tanz mit mir.
Komm, so komm doch, komm, so komm doch,
komm und tanz mit mir."

Aus der "Hummer Quadrille"
von Lewis Carroll's
"Alice im Wunderland"

INHALT

Vorwort

Dr. med. Philip R.A. May

Trudi Schoop begegnet der Schilderung des körperlichen Ausdrucks und Daseins sowie dem Verstehen und der psychotherapeutischen Handhabung schizophrener Verhaltensweisen mit tiefgehender Einsicht, treffender Beschreibung und einem höchst persönlichen Stil.

Als sie mir im Jahre 1958 zum ersten Mal die ihrer Behandlung des Problems zugrundeliegenden Ideen beschrieb, reizte mich ein Versuch. Ich erkannte, dass diese Gedanken zum grossen Teil mit der modernen, dynamischen Psychologie übereinstimmten. Letzten Endes bilden das körperliche Ich und sein geistiges Gegenstück, die Körpervorstellung, die Basis der menschlichen Beziehungen und sie spielen im Bestimmen unserer Wahrnehmung der Wirklichkeit eine zentrale Rolle. In der Tat betrachtet man bei Schizophrenie heute vielfach die Auflösung der Grenzen des Egos und der Beziehungen zwischen Selbst und Nicht-Selbst und unrealistische Begriffe dessen, was am Selbst und an Anderen gut und böse ist, als die wesentlichen Störungsfaktoren.

Ich war von dieser Übereinstimmung mit der psychodynamischen Theorie so beeindruckt, dass ich sie unbefangen fragte, von welchem der berühmten Schweizer Kliniker sie diese sehr klug ausgearbeiteten Ideen hatte. Rückblickend glaube ich, sie muss hinter meiner Gewohnheit, mich fast jedem Gebiet schnell und mit gesammelter Aufmerksamkeit zuzuwenden, ein gewisses Mass an guter Absicht oder zumindest die Bereitschaft zum Lernen erkannt haben. Jedenfalls wurde ich liebenswürdig und humorvoll mit der Tatsache bekannt gemacht, dass Haltung, Gebärde, Bewegung, Körpervorstellung, Identität, nicht-verbale Kommunikation, Identifizierung und Projektion des Selbst zu den Grundwissenschaften des Tanzes gehören. Ich erfuhr, dass das Berufsleben des Tänzers ein Studium des Körpers verlangt, gerade so wie von Anderen ein Studium der Psyche verlangt wird.

Damals war ich Chefarzt und Leiter der Forschungsabteilung des Camarillo Hospitals und ich war überzeugt, dass ich auf etwas Vielversprechendes gestossen war, ein unversuchter, hauptsächlich nicht-verbaler Zugang zu Forschung und Entwicklung in der dynamischen Psychologie – besonders für das Verstehen und die Behandlung schizophrener Patienten. Somit beschloss ich, Trudi soweit wie möglich für die Forschung zu gewinnen. Die Hauptschwierigkeit lag jedoch nicht an Trudis Gewinnung, sondern daran, das psychiatrische Forschungssystem davon zu überzeugen, dass es sich um ernsthafte Forschung und nicht um künstlerische Hirngespinste handelte. Es ist leider so, dass unser Forschungssystem auf die geregelte Unterstützung gewisser Arten äusserst spezialisierter akademischer und laborgebundener Forschung ausgerichtet ist. Wenn es darum geht, neue, und klinisch nicht irgendwie erfassbare Ideen, die sich noch im Versuchsstadium befinden, zu entwickeln, könnte man sich genausogut bemühen, den Mond zu verkaufen.

Glücklicherweise gelang es uns mit Unterstützung des California State Department of Mental Hygiene (dem Amt für Psychohygiene des Staates Kalifornien) und von interessierten Privatleuten, einige Forschungsversuche zu machen. Wir konnten in einer wissenschaftlich durchgeführten Studie beweisen, dass diese Behandlungsart mit hochgradig schizophrenen Patienten Möglichkeiten bot, die zwar nicht zur vollkommenen Heilung, aber zur Herstellung von Kontakt, dem Aufbau von Beziehungen und der Vorbereitung auf andere Heilmethoden wie Psychotherapie und Soziotherapie führten.

Wir unternahmen keine formelle Studie der Wechselbeziehung zwischen einer auf den Körper ausgerichteten Methode und der Verwendung von Beruhigungsmitteln, aber ich glaube, wir wissen genug, um eine ziemlich sichere Antwort in dieser Hinsicht geben zu können. Auf der einen Seite können diese Drogen, wenn sie hoch dosiert gegeben werden, Parkinsonähnliche Nebenwirkungen haben – wie Zittern, Steifheit und gefühlsmässigen Reaktionsverlust – welche sich nicht nur auf die Körpervorstellung und das Selbstgefühl auswirken, sondern auch die Reichweite und Bewegungsfähigkeit des Patienten beschränken. Andererseits verringern sie die psychotische Gedankenverwirrung beträchtlich und verbessern die Kommunikationsfähigkeit, sodass die Patienten, die vorher nicht zur Mitarbeit willig oder fähig waren, verständige Beziehungen aufnehmen können. Die beiden Behandlungsmethoden – Drogentherapie und Körperbezogenheit – sollten sich nicht als Gegensätze oder im Wettstreit gegenüberstehen. Im Gegenteil, der einsichtige Therapeut wird sie zusammen in der Kombination und zeitlichen Anordnung verwenden, die den Patienten am wirkungsvollsten von seiner Psychose befreit. So wird die richtige Anwendung von Trudi Schoops Methoden enge und feinfühlende Zusammenarbeit mit der Drogentherapie erfordern. Die Dosis muss laufend angepasst werden, ständig mit dem Fortschritt des Patienten Schritt halten, so nah wie möglich dem Idealfall angeglichen sein, in dem der Patient genug Medikamente bekommt, um der Störung des Gedankenvorgangs und der Kontaktfähigkeit zu begegnen, aber auch nicht soviel, dass er schläfrig, steif oder nicht ansprechbar wird. In ähnlicher Weise sollten nicht-verbale und verbale Therapie als sich gegenseitig ergänzende und möglicherweise gleichzeitige Methoden, und nicht als sich gegenseitig ausschliessende oder gegensätzliche Methoden angesehen werden. Die körperbezogene Behandlung kann Vorläufer zu sprachlicher Kontaktaufnahme sein: sie ist erfolgreich in Verbindung mit der verbalen Psychotherapie verwendet worden.

Was noch wichtiger ist: Wir konnten mit Ideen und Begriffen arbeiten und mit Trudis Hilfe ihre Vorstellungen zu einer Methode mit System und fester Form ausarbeiten, die auf die Patienten angewandt und anderen Therapeuten gelehrt werden konnte.

Es ist mir eine besondere Freude, dass sie ihre Anschauungen und Kenntnisse der persönlichen, nicht-verbalen Mitteilungen, die der Körper ausstrahlt, sowie die Grundbegriffe ihres therapeutischen Weges in diesem Buch niedergeschrieben hat, damit andere lernen können und angeregt werden, entlang dieser Richtlinien zu experimentieren und sie weiterzuführen. Es ist ein einzigartiger Beitrag zur Fachliteratur der Schizophrenie, ebenso wie der Literatur auf dem Gebiet des Tanzes.

Beim Durchlesen des Manuskriptes erstaunte mich die Parallele zwischen den verbalen und nicht-verbalen Vorgängen in der Schizophrenie einerseits und den Voraussetzungen für erfolgreiche Therapien in beiden Methoden andererseits. Ich stellte fest, dass es mir geholfen hatte, meine eigenen Gedanken über die Eigenschaften der Therapeuten, die für die Arbeit mit schizophrenen Patienten besonders begabt zu sein scheinen, aufzuspüren und klarer zu formulieren.

Wichtiger als lediglich technische Ausbildung und Länge der Erfahrung, oder schönklingende Klischees von Wärme und Verständnis, scheint mir ein zutiefst eingeprägtes und lebhaft empfundenes Gefühl für und Liebe zu innerer und äusserer Freiheit zu sein, nicht als eine politische Angelegenheit, sondern als eine Grundlage des Menschseins verstanden, eine ehrliche Zuneigung und Duldsamkeit gegenüber menschlichen Schwächen, eine hohe Achtung vor der Einzigartigkeit eines jeden Menschen. Und ein humorvolles Annehmen der eigenen Fehlbarkeit – der Therapeut kann es sich bei seiner Arbeit nicht leisten, immer recht zu haben. Solche Therapeuten sehen den Patienten nicht als einen psychiatrischen Fall sondern, um Trudis Worte zu gebrauchen, als einen "faszinierenden Fremden". Sie nehmen die Herausforderung der Aufgabe an und bemühen sich, in seine nur ihm eigene, ganz persönliche Sprache einzudringen, und sich in sein Land, in seine Gebräuche einzufühlen, die Welt so zu sehen und zu fühlen wie er es tut.

Trudis Beobachtung, dass der Schizophrene auf seiner eigenen, persönlichen Bühne Fragmente von Komödie, Posse und Tragödie aufführt, machte mir bewusst, dass die mir bekannten, begabten Therapeuten alle, jeder in seiner Weise, grossartige Schauspieler sind. Wenn sie die Abteilungen der Anstalt betreten, wissen sie ganz genau, dass sie auf einer Bühne stehen. Ich möchte deshalb annehmen, dass die Aufgabe des Therapeuten darin besteht, auf der Privatbühne des Patienten Eintritt zu erhalten, um Wirklichkeit für ihn zu dramatisieren und zu vereinfachen – und vielleicht tun sie dies auch für seine Familie und die Angestellten des Krankenhauses.

Der Therapeut muss ein Bild von sich selbst geben, das natürlich, direkt und überlebensgross ist. Auf diese Weise steht dem Schizophrenen ein vergrössertes äusseres Objekt zur Verfügung, mit dem er sich identifizieren kann, und an dem er seine eigenen Projektionen prüft. Es wird nicht immer ein grosses Drama gespielt. Der begabte Therapeut schwächt seine Interpretationen und Gegenüberstellungen oft mit Elementen der Komödie ab, weil er ein liebevolles und amüsantes, unbedrohliches Bild des Patienten und seiner Umgebung darstellen will. Und, in den Fussstapfen Bleulers, wagt er es gelegentlich, seine Patienten ein wenig zu erstaunen und zu schockieren – so wie Linda aufgerüttelt wurde, als sie mit einer List dazu gebracht wurde, ihr Gesicht als einen Teil ihrer selbst zu erfahren.

Dieses Buch zeigt, wie die Elemente des Tanzes verwendet werden können, um den Schizophrenen so zu nehmen und zu sehen wie er ist. In einer Atmosphäre der Zwangslosigkeit, in der er seine eigenen Untersuchungen anstellen kann, wird dem Patienten geholfen, das Gute und das Schlechte in sich selbst zu erforschen und zu begreifen und seine eigene Entwicklung zu beobachten. Die Aufgabe ist dann, Möglichkeiten zur Veränderung aufzuzeigen, ohne die Freiheit der Rückkehr zu seinen eigenen, ursprünglichen Verhaltensweisen zu beschneiden. Und in der letzten Phase, wenn er Verständnis und Bewegungsschatz entwickelt hat, ist er bereit, sich an spontanes Handeln zu wagen, sein wahres Selbst zu suchen, die Freiheit zu gewinnen, seinem Gefühl entsprechend zu handeln und sich anderen mitzuteilen.

Es ist gut, dass Trudi an kritischen Stellen im Text "Tanz" und "Tänzer" in Anführungszeichen setzt. Für sie ist der "Tanz" nicht eine Frage der Kraft und des Könnens: er ist nicht die Ausführung vorgefasster Tanzkombinationen, sondern ein persönlich geschaffener Stil körperlicher Bewegung, der das Wesen eines Menschen zeigt. In der Tat, wir erfahren, dass Können als ein intellektualisierter Verteidigungsmechanismus gegen das Begreifen des eigenen Selbst eingesetzt werden kann.

Wir sehen, dass in der nicht-verbalen Methode ebenso wie in der formellen Psychotherapie eine sehr grosse Geduld erforderlich ist bei dem mühevollen und langwierigen Versuch, "feinfühlig in ein derart gewaltiges Alleinsein einzutreten!" Es wird uns gezeigt, wie man in der Bewegung Wahnideen darstellen und untersuchen kann, und somit in die Welt des Gestörten Einlass und einen Weg der Dramatisierung seines Abweichens von der Wirklichkeit findet. Dieser Vorgang wird, im Kontrast zu der farblosen Fachsprache der psychotherapeutischen Literatur, in der lebhaften Sprache der Bewegung ausgedrückt: ". . . statt die Phantasie eines Geistesgestörten zu unterdrücken, sollten wir eine Weile mit ihm fliegen und dann mit ihm zusammen für eine sichere Landung auf dieser Erde ansetzen. Indem er seinen Phantasievorstellungen Gestalt verleiht, schafft er ein Werk, das Phantasie und Wirklichkeit vereint."

Und wir sehen, wie wertvoll es war, als eine Vorstufe zur Reintegration, die Nachahmung des Verhaltens des Patienten zu wagen, seine Spaltungen und sein Gehabe absichtlich lächerlich und vergröbert wiederzugeben.

Es wäre, glaube ich, falsch verstanden, wollte man eine strenge Unterscheidung zwischen Geist und Körper, zwischen verbal und nicht-verbal machen. Trudi selbst betont den engen Zusammenhang durch die Worte "bewegen" und "bewegt sein". Während Trudi monatelang Mary schweigend auf ihrem Weg begleitete, gab es auf verschiedenen Ebenen einen fortlaufenden Austausch unausgesprochener Vorgänge. Als Mary endlich sprach, erschien es ihr nicht als etwas Besonderes – der Austausch bediente sich lediglich eines

anderen Mittels. Für Henry waren an den leiblichen Körper gerichtete Befehle gleichbedeutend mit seiner psychologischen Beziehung zu seiner Frau. Unterschiede im Rhythmus der Schlagbesen mögen ein übertragener Ausdruck von Zustimmung oder Ablehnung sein.
Wie Leopold Bellak in seinem "Schizophrenic Syndrome" über die Arbeit von Madame Sechchayes bemerkte: eine genaue, gründliche, liebevolle und sorgfältig durchdachte Wiederherstellung ihrer schwergestörten Persönlichkeit mag für die Millionen Schizophrener, die es in der Welt gibt, nicht durchführbar sein, aber für unseren Schluss von den Wenigen auf die Vielen ist sie ausserordentlich wertvoll. Und dies trifft auf das Werk von Trudi Schoop zu. Es könnte schliesslich zu Behandlungsmethoden führen, die wir in den frühen wie auch in den späten Stadien der Krankheit und bei einer grösseren Anzahl von Patienten anwenden können.

...... KOMM UND TANZ MIT MIR!

Prolog

Wenn ich an meine Kindheit *) zurückdenke, steigen in mir Gefühle grosser Dankbarkeit und innigen Glückes auf. Meine Familie stammt aus der Schweiz, mein Vater aus dem Thurgau, meine Mutter aus Zürich und dem St. Gallischen. Meine Eltern waren von sehr verschiedener Art. Seiner eigenen Erziehung gemäss war mein Vater konventionell, formliebend, ein grosser Ästhet, während meine Mutter von einem unersättlichen Freiheitsdrang besessen war, keine moralischen Tabus kannte und keinen bürgerlichen Regeln folgte. Sie tat und liess in jedem Augenblick genau das, was sie als Wahrheit erfuhr und für richtig hielt.
Man könnte denken, dass solche Verschiedenheit der Eltern sich in einer Familie ungünstig auswirken würde – dem war nicht so. Wir haben unsere Eltern nie streiten gehört. Mein Vater liebte seine Frau so wie sie war. So war sie es, die den liberalen Geist in unserem Haus einführte, nicht nur geduldet, sondern lebhaft unterstützt von ihrem Mann, der zwar manchmal versuchte, etwas Ordnung in die wild gewordene Bande zu bringen, was ihm aber nicht gelang. Mein Vater war Handelsredakteur an der Zürcher Post und Präsident der schönen Dolder Hotels, in deren nächster Nähe wir wohnten.

Wie lebhaft erinnere ich mich noch an unseren Tisch beim Abendessen – es war eigentlich mehr ein Konferenztisch. Wild wurde da diskutiert bei einem üppigen Mahl mit so vielen Gästen, dass wir Kinder oft auf dem Boden sassen. Da waren also Mutter, Vater, wir vier Kinder, von denen jedes mindestens einen Freund mitgebracht hatte und natürlich Lisi, unsere geliebte, vollbusige Köchin mit dem immer freundlichen Gesicht, zwei Mädchen aus der welschen Schweiz, die nur französisch sprachen und furchtbar Heimweh hatten. Oft war ein Geschäftsfreund meines Vaters mit dabei, mindestens drei oder vier angehende Schriftsteller, Schauspieler oder Maler, ein junger italienischer Priester, ein russischer Kommunist und eine deutsche Baronin . . . . . alles Leute, die ihre schlechten Zeiten im gastfreundlichen Haus meiner Eltern verbrachten.

Welche Aufregung verursachte mein Vater, als er ein Paar Sandalen mit nach Hause brachte und verkündete, er werde sie fortan ohne Socken tragen! Und ich sehe noch, wie meine Mutter eines Tages ihr Korsett fortwarf, farbenfrohe, weite Kleider zu tragen begann und mitleidige Blicke auf all die Damen mit den eingepanzerten Taillen warf. Selbstverständlich wurden auch wir Kinder nun ebenso farbenprächtig und bequem angezogen. Wir mussten ausgesehen haben wie die Vorläufer einer Hippie-Kommune – für das damalige puritanische Zürich waren wir wahrscheinlich die Ausnahme, die die Regel bestätigte . . . .

Ich hatte zwei Brüder und eine Schwester: Max, der Maler werden wollte, Paul, der später als Komponist und Pianist die Musik zu meinen Pantomimen schrieb und Hedi, die sich als Tänzerin, Schauspielerin, Töpferin und Malerin auszeichnete und jetzt dieses Buch illustriert. Wir vier verlebten in unserem schönen Haus auf dem Zürichberg herrliche Jahre. Sommer für Sommer verbrachte ich in einem selbstgebauten Unterschlupf in einer der grossen Eichen, die unseren wunderschönen Garten überschatteten. Es wurde mir nie befohlen, "um Himmels Willen" ins Haus zu kommen und im eigenen Bett zu schlafen. Meine Eltern freuten sich schon, wenn ich einmal zu den ge-

*) Trudi Schoop wurde 1903 in Zürich geboren.

meinsamen Mahlzeiten erschien, die ich, wie der Puck aus dem Sommernachtstraum aussehend, zu eindrucksvollen Auftritten benutzte.

Diese Sommer waren himmlisch. Unsere Gegend muss wie ein Teil des Paradieses ausgesehen haben: Vier junge Körper wälzten sich im Gras, erkletterten Bäume und hatten überall wo sie spielten, Katzen, Hunde, zahme Krähen und weniger zahme Bergziegen um sich. Ein anderes Kapitel in unserem jungen Leben war die Schule! Es fiel mir schwer, mich der strengen Disziplin eines vom Intellekt geprägten Systems zu unterordnen und in einem Klassenzimmer gefangen zu sein, still sitzen zu müssen, während sich kein Mensch darum kümmerte, wie es einem zumute sei, und wo der beste Schüler derjenige war, dem es gelang, Kopf und Körper zu trennen und dadurch mit Leichtigkeit Rechen-, Multiplikations- und Algebra-Aufgaben löste, sich langweilige Geschichte einprägen und endlose Gedichte auswendig lernen konnte. Als ich einmal meinen Gefühlen über dieses akademische Leben Luft machte, beruhigte mich meine Mutter mit den Worten: "Mach dir keine Sorgen, du wirst alles, was du für dein späteres Leben nicht brauchst, am Ende der Schulzeit ohnehin vergessen".

Und genau das tat ich, und zwar gründlich! Mein Vater mag darob enttäuscht gewesen sein, denn ich glaube, er hätte mich gerne als Lehrerin gesehen, so wie er in seiner Jugend auch Lehrer war. Er war der Letzte einer langen Ahnenreihe von Gelehrten, Professoren und Lehrern, die bis in die Zeit unseres verehrten Heinrich Pestalozzis zurückreichte.

Im Alter von zwölf Jahren war ich fest entschlossen, Schauspielerin zu werden. Schon während der Schulzeit lernte ich mit naiver Begeisterung die grossen dramatischen Rollen der Weltliteratur. Mein Schauspiellehrer war von meinem Talent begeistert. Bis heute ist mir dies schleierhaft, denn ich verstand nicht eine einzige Zeile von dem, was ich sprach – vom geistigen Inhalt der Dramen ganz zu schweigen.
Eines weiss ich hingegen bestimmt: Je angsterregender die Szene, je grösseres Unrecht den Unschuldigen geschah, desto besser gefiel mir die Rolle. Zwei Jahre lang lernte ich, ohne zu lernen, verstand ich, ohne zu verstehen. Dann trat plötzlich eine Wendung ein –.
Um zu erklären, was damals geschah, will ich zurückblenden in meine Jugendzeit. Am Anfang dieses Kapitels habe ich geschrieben, wie glücklich meine Kindheit war. Das ist auch so, zugleich aber hielten mich bis in meine Mädchenjahre hinein unfassliche Ängste gefangen, die ich durch zwangshafte Handlungen zu beschwichtigen suchte. Diese Ängste waren mein grosses, schreckliches Geheimnis, niemand wusste davon! Meine Mutter erzählte mir später oft, dass ich mich, etwa sechsjährig, stundenlang ins Musikzimmer einschloss und Grammophon spielte. Was tat ich? Ich legte Platten auf, hörte Musik und begann, mich nach ihrer Melodie und ihrem Rhythmus zu bewegen. Ich improvisierte. Es waren Stunden grossen Glücks. Vergessen waren Ängste und Zwänge. Ich fühlte mich lebend, ohne jeden Zweifel an mir und an meinem Da-Sein. Während vieler Jahre schloss ich mich so ein und improvisierte. Nach und nach aber hatte ich das Bedürfnis, meine Gefühle mit anderen zu teilen – mich mit-zuteilen. Ich begann, die aus mir herausströmenden Gefühle zu formen, die chaotischen Improvisationen in verständliche Bilder umzusetzen, ich suchte nach einem Anfang, nach einem Ende – nach einer sinnvollen Geschichte. Heute bin ich fest überzeugt, dass über die Improvisation mich vor allem die tänzerische Gestaltung von meinen Seelennöten befreit hat. Ich machte den Versuch, meine Fantasien zu verkörpern, dadurch findet eine Umkehrung statt: Man beginnt die Fantasien zu meistern, *man ist nicht mehr von der Fantasie besessen – man besitzt Fantasie!* Die Angst hielt mich nicht mehr gefangen, ich hatte Angst, wenn es notwendig war, Angst zu haben.
So glaube ich, dass ich mich gesund getanzt habe. Und heute weiss ich, dass diese eigene

Erfahrung mich bewog, später mit psychotischen Menschen zu tanzen. Zu dieser Zeit wurde mir bewusst, dass ich mich durch den Körper ausdrücken wollte, dass nicht der Schauspielerberuf, sondern der Tanz mein Leben bedeuten sollte. Und eines Abends, während des Nachtessens verkündete ich, dass ich Tänzerin werden wolle. Die Reaktion war überwältigend. Familie und Freunde brachen in ein derart schallendes Gelächter aus, dass an eine Fortsetzung meiner sorgfältig vorbereiteten Rede nicht zu denken war. Dann kam mir meine Mutter zu Hilfe. "Hört auf", schalt sie, "ich finde es einfach wunderbar, dass Trudi weiss, was sie will. Man sollte ihr eine Chance geben!" — und sie blickte meinen Vater lange an.
Um meinem Vater nun zu beweisen, dass ich wirklich auf die Bühne wollte, begann ich ein richtiges Programm zusammen zu stellen. Im Alter von sechzehn Jahren wagte ich mich an die Gestaltung von Tänzen.

Ich hatte keinerlei Ausbildung, es fehlten mir die Kenntnisse des tänzerischen Aufbaus. Dessungeachtet fabrizierte ich Tänze. Ich mietete einen grossen Saal, engagierte einen Klavierspieler, hatte Ideen, suchte nach Musik, übte und trainierte nach einem "Do-it-yourself"-System, entwarf höchst komplizierte Kostüme, vergass Essen und Schlaf und war trotz aller Schwierigkeiten, die sich mir entgegenstellten, unsagbar glücklich.

Wenn es je eine Zeit der Trennung von Leib und Seele in meinem Leben gegeben hat, dann war es damals. Ich sehnte mich danach, wunderbar schön, ätherisch und harmonisch zu sein, aber meine stämmigen Beine standen schief, ich stolperte über meine Füsse, mein Körper war schwer und seine Bewegungen von Sehnsucht verdreht. Es war — um es gelinde auszudrücken — ein heroischer Kampf zwischen Geist und Materie.

Aus dem Wirrwarr meiner Ideen und meines schwerfälligen Körpers tauchten langsam mehr oder weniger erkennbare Tanzformen auf, kindliche Gebilde: eine weisse Blume, die sich dem Licht der Sonne öffnet um am Abend in Schlaf zu sinken, eine Krähe, die durch ein Feld stolziert und ihr Gefieder putzt, ein trauriges kleines Mädchen, das weint, weil es sich einsam fühlt, eine wunderschöne Schlangenbeschwörerin. Und vor allem ein Sklave mit gefesselten Händen, der sich gegen sein Schicksal auflehnt, sich von seinen Fesseln befreit — und stirbt . . . . Dieser letzte Tanz war mein ganzer Stolz, er versinnbildlichte meine Sehnsucht nach Freiheit.

Ausserdem interpretierte ich auch einfach Musik, wie zum Beispiel Liszts "Grand Galopp", mit dessen Tempo ich niemals Schritt halten konnte, oder Schuberts "Moments Musicales", deren spielerische Leichtigkeit in groteskem Widerspruch zu meinem erdverhafteten Körper stand. Ich kürzte rigoros klassische und moderne Musik für meine Zwecke. Was ich nicht meistern konnte, sei es technisch oder gefühlsmässig, strich ich grosszügig.

Als ich etwa sechs Monate später meine erste Vorstellung gab, wurde sie — so unwahrscheinlich dies klingen mag — ein durchschlagender Erfolg. Die Kritiker waren des Lobes voll, mein Vater war stolz und meine Mutter lächelte. Heute glaube ich, dass mein Erfolg nur darum verständlich war, weil meine Tänze in die damalige Zeit passten. Als ich zu tanzen begann, waren die Tänzer Deutschlands gerade auf der Suche nach neuen Inhalten und Formen. "Nieder mit dem Ballett, weg mit dem falschen Liebreiz, mit den Prinzen, Schwänen und Sylphiden" waren die Parolen. Die Mehrzahl der Tänzer war gegen die klassische Form, gegen die Tradition, überhaupt gegen alles. Die Schwestern Wiesenthal hatten ihre Ballettschuhe fortgeworfen und tanzten fortan barfuss, Isadora Duncan trat für die natürliche Bewegung und die fliessende Linie ein. Das Ballettröckchen wurde durch eine Art griechische Tunika ersetzt. Rudolf von Laban reihte die Tänzer in drei

Kategorien ein: Hoch-, Mittel- und Tieftänzer. Das bedeutete keineswegs ein Urteil. Er war vielleicht der erste, der die Vielfalt des menschlichen Ausdrucks erkannte und sah, dass auch die verschiedenen Ebenen des Raumes für diesen Ausdruck entscheidend waren. Er hatte sich ausserdem dem verschrieben, was er Ausdruckstanz nannte – was etwas Neues und fast Beängstigendes war. Emile Jacques-Dalcroze versuchte die Vereinigung von Musik und Bewegung und prägte den Ausdruck Rhythmik. Mary Wigman tanzte ohne Musik. Sie verstand den Tanz als selbständige Kunst, die durch sich selbst spricht. Valleska Gert andererseits stiess während ihres Tanzes Worte und Schreie aus. In ihrem kreideweissen Make-up wirkte sie wie ein Plakat von Toulouse-Lautrec.

All das war aufregend, neu, aus dem Rahmen fallend. Überall war alles in Bewegung geraten. In den Anfängen des modernen Tanzes war die Opposition gegen die Tradition von entscheidender Bedeutung. Es hatte sich noch keine kennzeichnende Form oder Technik entwickelt. Jeder, der mitreden wollte und der zwei Beine besass, tanzte. Die Theater waren mit Tanzdarbietungen überhäuft. Hunderte von Namen flackerten am Bühnenhimmel auf, um alsbald wieder zu verlöschen. Der eine stampfte und schrie, ein anderer mimte Wahnsinn mit einer Blume in der Hand. Einer mimte "Morphium" im langen Purpurgewand mit blassgrünem Gesicht. Ein anderer wiederum tanzte das Laster mit einer langen Zigarettenspitze. Auf roter Ottomane beging man tanzend Vergewaltigung und Mord. Und dies alles wurde in unausgefeilten, stotternden Bewegungen ausgedrückt, ohne Bemühen, verstanden zu werden. Die Sprünge schlugen hart auf und die Bühnen hallten vom Aufprall der hinfallenden Körper.
Laban gründete die ersten Bewegungschöre. Hausmeister, Hausfrauen, Sekretärinnen, Büroangestellte, Polizisten und Ärzte strömten in diese Gruppen und drückten ihre gemeinsamen Gefühle in gemeinsamen Bewegungen aus. Bald darauf ersetzte die Oper das klassische "Corps de ballet" durch diese Bewegungschöre, die vorzugsweise in der Hölle spielten, wo Teufel beiderlei Geschlechts schauerlich umhersprangen. Es war alles sehr merkwürdig. Als ich aus der Schweiz nach Deutschland kam, hatte ich den Eindruck, ganz Deutschland tanze.

In diese Zeit fiel der ernsthafte Beginn meines Tanztrainings. Ich hatte mir und meiner Umgebung bewiesen, dass ich Tänzerin werden wollte, nun musste ich meinen Körper zu einem fähigen Instrument machen. Für die technische Ausbildung wählte ich Ballett. Gleichzeitig besuchte ich die Schule von Ellen Tells, einer Schülerin von Isadora Duncan. Da mir Flüssigkeit fremd war, stand ich mit meiner bleiernen Schwere ratlos vor diesem wunderbar harmonischen Ausdruck. Andererseits kannte ich aber auch wenig Ordnung, so dass mir auch das klassische Ballett mit seinen unerbittlich festgelegten Formen zur körperlich-seelischen Pein wurde.

Noch während dieser Studienzeit war ich in Deutschland und in der Schweiz auf Tournée und tanzte vor ausverkauften Häusern mit grossem, sehr grossem Erfolg. Die Begeisterung der Zuschauer kannte keine Grenzen und die Kritiker spendeten mir höchstes Lob. Woran lag es wohl, dass mich dieses grosse, positive Echo so wenig berührte? Ich war den Tänzen meiner Kindheit entwachsen und musste nun einen neuen Inhalt und neue Formen finden, die meinem jetzigen Ich entsprachen.

Zu diesem Zeitpunkt starb mein Vater. Sein Tod erschütterte mich zutiefst. Ich war immer von seiner moralischen Unterstützung abhängig gewesen, nun musste ich plötzlich auf eigenen Füssen stehen. Ich entschloss mich zur Gründung einer "Schule für künstlerischen Tanz". Die Stadt Zürich stellte mir ein wunderbares altes Kirchlein als Tanzstudio zur Verfügung, allerdings mit der Bedingung, dass ich die Turmuhr aufziehen müsse, damit die Nachbarschaft die genaue Zeit wusste . . . . Die Zeit stand oft still – nicht aber das Telefon mit Anrufen erboster Mitbürger.

Während dieser Zeit arbeitete ich mit vielen Schülern und wurde mit einer neuen Seite des Lebens bekannt. Das Unterrichten faszinierte mich derart, dass ich völlig in meinem neuen Wirkungskreis aufging und mein eigenes Tanzen in den Hintergrund stellte. Die Stunden, in denen ich die Bewegungen meiner Schüler beobachtete, ergriffen mich. Wenn sie Bewegung aus sich heraus entwickelten, ringend nach Formgebung, nach choreographischem Ausdruck eines Gefühls, schienen sie am Schöpferischen beteiligt zu sein. Gleichzeitig begann ich zu erkennen, welch schwere Aufgabe es für Menschen ist, Gefühle und Fantasie körperlich auszudrücken, sie gleichsam als Bewegung zu offenbaren. Minderwertigkeitskomplexe, Angstgefühle, Konflikte aller Art wirken sich hemmend auf das körperliche Ausdrucksvermögen aus. Ich begann, die Menschen in einem neuen Licht zu sehen.

Auf der Strasse folgte ich Unbekannten, ahmte ihre Gangart und ihre Haltung nach und stellte mir vor, dass es mir dadurch möglich wäre, ihren Geisteszustand zu erfühlen. Und plötzlich war ich wie besessen von den Gesten der Menschen, dem Mienenspiel, der Haltung und Fassung, der bunten Mannigfaltigkeit der menschlichen Erscheinung. Die Art, wie ein Gesicht sich im Zorn verzerrt, wie jemand weint, wie jemand sich voller Freude auf die Schenkel haut – all das faszinierte mich. Eine Dame, prüfend ihre Frisur im Spiegel betrachtend, ein Mann, der sein Kragenknöpflein sucht, ein Kellner, der auf ein Trinkgeld wartet, ein Geschäftsmann, der seinen Klienten zu einem Geschäft überredet – all diese alltäglichen Vorgänge fesselten mich und brachten mir die ausdrucksvolle Vielfalt des Alltags zum Bewusstsein.

Wieder arbeitete ich an Tänzen. Diesmal wurden sie anders gestaltet. Ich versuchte, die kleinen beobachteten Alltagsgeschichten in Bewegung umzusetzen und sie gleichzeitig in eine breitere, allgemeinere Beziehung zu stellen. Ich wollte Menschengeschichten erzählen, weniger in der Art, wie ein Schauspieler eine Person zeichnet, sondern indem ich sowohl das Geschehen wie die handelnden Gestalten rhythmisierte und dadurch abstrahierte. Diese Geschichten mussten kurz sein und so klar, dass es fast unmöglich war, die richtige Musik für sie zu finden. Aber eines Tages setzte sich mein Bruder Paul mit mir hin und begann meine Ideen in musikalische Sequenzen zu übertragen. Mein Komponist war gefunden!

Die neuen Tänze wurden betitelt: "Du interessierst mich", "Geschäft ist Geschäft", "Es war ein Schmerz, sonst nichts", "Ich habe mich gern", "Das grosse Nein", "Die Kunst der freien Rede". Und als ich dann zum erstenmal mit diesem Programm auftrat, erlebte ich etwas Seltsames: Das Publikum lachte! Das war mir nie zuvor passiert. Diese Pantomimen waren ernst, sehr ernst gemeint und keinen Augenblick war es meine Absicht gewesen, komisch zu wirken. Aber an jenem Abend lernte ich vom Publikum, dass ich eine urkomische Tänzerin sei.

Am Ende der zwanziger Jahre lebte ich in Berlin und trat in einem kleinen avant-gardistischen Kabarett "Die Katakombe" auf. Hier stiess ich zu einer Gruppe junger Schauspieler und Musiker sowie einem Schriftsteller (Werner Fink), die alle eine politische Bühne wollten. Der beginnende Albdruck eines neuen Krieges lag schon fühlbar in der Luft. Wir hatten also eine Zielscheibe für unsere Kritik. Wir machten uns über die selbstzufriedene Bourgeoisie lustig und spielten Satiren über die Arroganz des aufkommenden "Herrenvolkes". Was wir auch unternahmen, es war jung, frech und schrecklich selbstsicher. Unsere Aussagen waren aber keineswegs formlos oder unleserlich, wie dies in den ersten Anfängen des künstlerischen Aufbruches gewesen war. Wir wollten uns klar ausdrücken und unzweideutig verstanden werden. Vereint fanden wir eine gewagte Form, um einen gewagten Inhalt vorzutragen. Der kleinen politischen Bühne war Erfolg be-

schieden und zum erstenmal hatte ich das Gefühl, meinen persönlichen Erfolg verdient zu haben. Ich hatte mein Talent in den Dienst einer Sache gestellt und herausgefunden, dass der Tanz eine scharfe Waffe sein kann.

Neben der Arbeit mit dieser Gruppe trat ich weiterhin als Solistin auf. Wollte ich einen Partner zur Seite haben, musste ich mich an einen imaginären wenden. Ich erinnere mich an eine Nummer "Spaziergang mit einem Freund", bei der ich mir sehnlichst wünschte, mein unsichtbarer Partner wäre Wirklichkeit. Mehr und mehr suchte ich nach Darstellungsmöglichkeiten des Zwiegesprächs. Ich wollte auf der Bühne weitere Charaktere auftreten lassen, damit wir zusammen zeigen konnten, wie der Mensch sich dem Mitmenschen gegenüber verhält: auf welche Art und Weise lieben, hassen, betrügen die Menschen einander – wie spielen sie zusammen – worüber klatschen sie – worüber freuen sie sich und worüber grämen sie sich?

In solche Gedanken vertieft, erhielt ich eine Einladung zur Teilnahme am Internationalen Tanzkongress in Paris. Ich leistete ihr Folge und stellte eine Gruppe meiner besten Schüler zusammen. Obwohl keine Berufstänzer, waren sie alle talentiert und folgten mir und meinen Ideen vertrauensvoll. Ich hatte schon das Konzept einer Pantomime, in welcher Tanz und Schauspiel vereint werden sollten. Es war die Tanzkomödie "Fridolin". Fridolin, den ich als angstvollen, jungen Menschen voller Sehnsüchte, der sich in dieser engen, furchterregenden, materialistischen Welt nicht zurechtfinden konnte, selbst spielte. Diese ungeschickte, tragisch-komische Figur stellte meinen eigenen Konflikt in der Gesellschaft dar. Mit der Gestaltung Fridolins verlor ich viele meiner Ängste. Mehr: die Pantomime trug mir an diesem Pariser Kongress einen Preis ein. Die Kritiker waren überschwänglich in ihrem Lob. Ich kann mich noch an das herrliche Gefühl erinnern, als ich am nächsten Morgen im Hotelvestibül stand und die Kritiken las. "Die elementare Kunst des Tanzes erhält neue Bedeutung; zuerst in "Der grüne Tisch" von Kurt Joos: die Friedensbotschaft gegen den Krieg. Und dann mit Trudi Schoop: die Botschaft der Menschheit in unserer Zeit. Hier der Pathos von Joos, dort die spöttische Angriffslust von Trudi Schoop".

Ich hatte meinen Weg gefunden – und wenig später in Dr. Hans Wickihalder, Redaktor am Zürcher "Tages-Anzeiger", auch meinen Ehemann. Und bis zum heutigen Tag glaube ich, dass er ebenso in mein Talent wie in meine Person verliebt war. Er half mir in jeder nur möglichen Weise, meine Träume als Tänzerin zu verwirklichen. Mit seiner Hilfe war ich nun in der Lage, eine Gruppe von Berufstänzern zusammen zu stellen. Es war eine buntgewürfelte Gesellschaft, so verschieden wie nur überhaupt vorstellbar in punkto Charakter, Erscheinung und Nationalität. Ich engagierte Akrobaten ohne tänzerische Ausbildung, Darsteller musikalischer Komödien, Balletteusen und Tänzer mit besonderem Fachgebiet. Es war nicht einfach, diese uneinheitliche Gruppe auf einen gemeinsamen Nenner zu bringen. Die Tänzer wollten nicht schauspielern, die Schauspieler wollten nicht tanzen, die Akrobaten wollten ständig nur auf dem Kopf stehen, die auf den modernen Tanz ausgerichteten Tänzer hassten die Leute vom Ballett und diese wiederum rümpften die Nase über den modernen Tanz. Und sie alle zusammen standen meinen neuen Ideen über komische Pantomime misstrauisch gegenüber. Aber zu guter Letzt machten sie alle mit, wobei die individuelle Ausdrucksform jedes Einzelnen einen wichtigen Beitrag zum Gesamtbild leistete.

Meine Träume von einer Truppe waren Wirklichkeit geworden. Im Laufe der Jahre wurden viele Programme zusammengestellt: Fridolin unterwegs und Fridolin zu Hause, In-

Trudi in verschiedenen Rollen

seraten-Annahme, Ringelreihen, Die blonde Marie, Alles aus Liebe, Barbara usw. Alle Pantomimen waren abendfüllend – eine Komödie in zwei oder drei Akten und wurden meistens in musikalischer Zusammenarbeit mit meinem Bruder Paul gemacht.

Während mehrerer Jahre reiste ich mit meiner Truppe von zwanzig Tänzern und zwei Pianisten durch die Welt. Und ich werde nie vergessen, wie wir bei einer Première in Prag aufgeregt hinter den Kulissen flüsterten, als bekannt wurde, dass der grosse Sol Hurok (berühmter amerikanischer Manager) im Zuschauerraum sitze. Welch ein grosses Feiern folgte seinem Angebot, uns für eine Tournée in die USA zu verpflichten! Als wir dann den Atlantik überquert hatten, bereisten wir dieses grosse Land kreuz und quer, auf und ab. Wir gastierten in jeder grösseren Stadt und ich ahnte nicht, dass ich eines Tages verwurzelter Einwohner von Los Angeles sein würde . . . .

Bei Kriegsausbruch befanden wir uns nach unserem fünften USA-Aufenthalt auf dem Atlantik. Meine Truppe löste sich auf und jeder musste auf dem schnellsten Weg nach Hause zurückkehren. Hedi floh schon vor langer Zeit mit ihrem Mann – Friedrich Holländer – nach Amerika und meine Mutter und mein Bruder waren ihr nachgefolgt.

Während der Kriegswirren bot die Schweiz das Bild der Ruhe inmitten eines Orkans. Ich arbeitete, spielte und tanzte im Pestalozzidorf mit Waisenkindern, die irgendwie ihren Weg aus dem flammenden Inferno in diese idyllische Zufluchtstätte gefunden hatten.

Was die "Katakombe" vor fünfzehn Jahren für Deutschland gewesen, war das "Cornichon" jetzt für die Schweiz. In diesem durch und durch künstlerischen Kabarett fand ich Mitstreiter – wir konnten uns Luft machen über die Ungeheuerlichkeiten, die sich in Deutschland abspielten. Aber auch unsere eigene Regierung griffen wir an – ihre unverständlich harte Einstellung dem Geschehen rund um uns und vor allem den Flüchtlingen gegenüber, welche in unserem Land Schutz suchten. Trotz unserer unverhohlenen Angriffe stand die Regierung getreulich hinter uns. Die schweizerische Zensur liess uns oft im voraus wissen, wann der deutsche Konsul oder Presseattaché es vorhatten, unserem Kabarett einen Besuch abzustatten. Dadurch waren wir in der Lage, das Programm jeweils entsprechend zu variieren. Es war eine beängstigende, aufregende Zeit, eine Zeit, in der wir nie wussten, was wir sagen oder nicht sagen durften – oder ob wir überhaupt auftreten könnten. Allmählich erfanden wir ein geheimes Vokabular, eine Art Zeichensprache, die sich der Zensur entzog. Die Deutschen konnten schwerlich berichten: "Trudi Schoop hielt ihre Finger über den Augenbrauen in der Weise, dass wir den Eindruck gewannen, sie mockiere sich über die Stirnlocke des Führers". Unsere Besetzung bestand aus Sängern, Schriftstellern, Malern und Tänzern – jeder war ein Künstler auf seinem Gebiet und wir alle waren in dem ernsthaften Bemühen vereint, mit unserer Kunst für unsere Meinungen zu kämpfen. Während dieser schrecklichen Zeit, als fremde Bomber nachts über Zürich flogen, spielten, sangen und tanzten wir unsere politischen Botschaften vor ausverkauftem Hause.

Als die Deutschen unaufhaltsam durch Europa marschierten, brachten meine Wunschträume mich dazu, Hitler als "sterbenden Schwan" zu tanzen. Ein schwarzes Ballettröckchen deutete die SS-Uniform an und mein Gesicht war verziert mit einem Schnurrbart gleich dem des Führers. Die letzten Bewegungen meines verendenden Schwans waren ekstatische Grussgesten: der "Flügel" erhob sich steif wieder und wieder zum Gruss, bis dieser makabre Vogel tot zusammenbrach. Diese Satire trug ich nur einmal vor. Der deutsche Konsul war wutentbrannt und meine Regierung wurde entschieden nervös.

Endlich fand dieser schreckliche Krieg ein Ende. Das Kabarett "Cornichon" hatte seinen Zweck erfüllt. Es folgte eine weitere Tournée mit meiner wieder gegründeten Truppe durch Europa und Amerika. Ich befand mich in Amerika, als mich die Nachricht vom Tod meines Mannes erreichte . . . .

Es folgte eine Zeit der Leere. Ich war des Reisens durch die Welt müde und sehnte mich, irgendwo Wurzeln fassen zu können. Und sie wuchsen schnell und tief in der warmen Erde unter dem milden Himmel Kaliforniens. Und dem Baume gleich verliebte ich mich in die Sonne, in die linde Luft, in die fernen, kahlen Berge, in die unbekannten Tiere und Vögel, die mich besuchten und all die exotischen Blumen. Ich malte ein wenig, unterrichtete etwas, tanzte mit einem blinden Mädchen und mit taubstummen Kindern. Es war eine friedliche Zeit. Aber bald suchten meine wieder zum Leben erwachten Kräfte neue Aufgaben.

DIE TÜRE OHNE GRIFF

Begegnung

"Ah Sisch Aristo Schah!"

Es war ein herrlicher Morgen, als ich das Tal hinauf zum staatlichen Krankenhaus fuhr. Der Raps war voll erblüht und hüllte die sanften, runden Hügel in alle Schattierungen von Gold ein – unter einem Himmel, der sich in seidig leuchtendem Blau von einem Horizont zum anderen spannte. Wie liebe ich dieses sonnendurchflutete Land, wo der fliessende Rhythmus des Ozeans sich bis in die Landschaft auszudehnen scheint. Mein Wagen führte mich sachte über die Erdwellen hinauf und hinunter, vorbei an glänzenden Pferden und grossäugigem Vieh auf Weiden, die von blauen Lupinen übersät waren.

Mein Körper verlagerte sich leicht und machte mir dadurch bewusst, dass ich seit der Wegfahrt von zuhause ständig in derselben starren Haltung sass: Hände, die das Steuerrad wie einen Schraubstock umklammerten, mit hochgezogenen Schultern und einem so steifen Nacken, dass es knackte, wenn ich ihn bewegte. Weshalb alle diese Verspannungen? Was ist überhaupt mit mir los? Ich weiss, ich weiss . . . ., – es ist jener Brief, der offen auf dem Nebensitz liegt. Wie lächerlich, sich von ihm ins Bockshorn jagen zu lassen! Kein Mensch zwang mich in diese Lage; ich selber hatte sie ja herausgefordert. Ich schrieb ihnen zuerst. Ich war es, die mit ihren Patienten arbeiten wollte. Natürlich könnte ich die ganze Sache absagen –, ich könnte mich krank melden . . . oder sagen, dass ich plötzlich in die Schweiz zurückkehren müsse . . . Ich kann selbst jetzt noch umkehren!

Auf der nächsten Anhöhe erschien ein Verkehrszeichen: "Wenden verboten" – Nun denn, die Ärzte wollen mit mir reden, was ihr Recht ist. Es ist wirklich ein sehr netter Brief. ". . . vielen Dank für das Angebot Ihrer Dienste . . . Tanztherapie hört sich interessant an . . . Wir würden gerne Näheres über Ihre Methode erfahren . . . . Kommen Sie Mittwoch um zehn Uhr." Und nun ist es Mittwoch, neun Uhr dreissig. Ich muss mich beeilen. Wenn nur meine Hände nicht so kribbeln würden. Warum habe ich nicht eine nette kleine Privatklinik angeschrieben? Jede Art von staatlicher Institution erschreckt mich. Aber in einem Psychiatrischen Krankenhaus dieser Grösse gibt es sicherlich eine vielfältigere Auswahl an Patienten! Wie lebhaft erinnere ich mich an Professor Bleulers Patienten in Zürich, als er mich vor Jahren bat, für sie zu tanzen. Deren Ausdruck war ohne die leiseste Abstufung – nur wütend, nur angstvoll, nur . . . . Mein Herz begann vor Erwartung höher zu schlagen. Würden die Patienten in diesem Land, in diesem Krankenhaus auch so sein? Und wenn ja, was würde ich mit ihnen anfangen? Ich wusste es nicht. Meine Ideen waren noch traumhaft. Aber meine Träume interessierten die Ärzte bestimmt nicht; vielmehr wollten sie Tatsachen, Resultate und im jetzigen Augenblick eine Beschreibung meiner Methode. Kann ich ihnen offen sagen, dass ich hoffe, von den Patienten selbst zu lernen? Das Einzige, was ich sicher wusste, war, dass ich mit den Patienten tanzen wollte. Tanzen? In einem Krankenhaus? Mit psychotischen Patienten? In diesem Augenblick schien selbst mir die Vorstellung absurd. Aber weshalb? Hat der Begriff "Tanzen" denn noch immer den Beigeschmack von Exhibitionismus, von Narzissmus, von Sünde? Ist Tanzen einfach zu sehr Vergnügen, um ernst genommen zu werden – ist es zu unwissenschaftlich, um als Therapie in Betracht zu kommen?

Meine Befürchtungen stiegen mit dem Geschwindigkeitsmesser am Armaturenbrett des Autos. Warum unterziehe ich mich eigentlich dieser Nervenprobe? Weshalb ist es für mich so lebenswichtig, mich mit Menschen zu beschäftigen, die geisteskrank sind? Es kamen mir wieder Professor Bleulers Patienten in den Sinn – ihr fremdartiges Benehmen, ihr sonderbares Tun, ihre seltsamen Sprachlaute. Was würde ich darum geben, verstehen zu können, was sie denken, fühlen, sagen! Das war es also: das Vernarrtsein in das menschliche Ausdrucksvermögen, was mich zu dieser Stunde, zu dieser Aussprache, zu diesem Abenteuer geführt hatte. Die Welt hatte nur auf mich gewartet, um die rätselhafte Sprache der Schizophrenie zu entziffern. Warum wohl muss ich so "ausdrucksbesessen" sein?

Aus der beklemmenden Wirklichkeit weckte mich ein traumhafter Duft, ein köstlicher Wohlgeruch: Felder von Levkojen – die Blume des Gartens meiner Kindheit – dicke, zarte, in allen Regenbogenfarben blühende Levkojen breiteten sich vor meinen Augen aus. Anschwellend, sich senkend und neigend strahlten sie ihre irisierenden Farben in alle Richtungen aus, Himmel und Erde ineinander verschmelzend. Hingerissen vom Anblick wurde ich auf einer Wolke des Entzückens getragen, welche mich sanft vor dem Krankenhaus absetzte. "Verwaltung" stand auf dem Schild – ich trat ein.

Mit dem erlöschenden Gezisch eines geplatzten Ballons schloss sich die Türe hinter mir. Ich befand mich in einem dunklen, farblosen Empfangszimmer. Die Luft roch stark nach Desinfektionsmitteln, ohne zu verbergen, was sie verbergen sollten! Hinter dem Empfangspult sprach eine aufrecht sitzende Dame mit knapper, sachlicher Stimme am Telefon.
"Ja, Herr Doktor, ich werde sie hinaufschicken, wenn sie . . . ." – Als sie aufblickte, gewahrte sie mich in respektvoller Entfernung vor sich. "Miss Schoop?" fragte sie mit der Strenge von Fräulein Bächtold, meiner Primarlehrerin. Ich nickte.
"Sie ist eben angekommen, Dr. Keermuschel . . . . Ja, Herr Doktor, sofort".
Nachdem sie den Hörer sorgfältig aufgelegt hatte, musterten mich ihre neugierigen Augen hinter dicklinsigen Gläsern mit einem schnellen Blick der Einschätzung. Das Urteil schien zu heissen: "Wie eigenartig" –

Ihre Anweisungen ergossen sich ohne Unterbrechung über mich: "Ihre Besprechung findet im Konferenzzimmer statt, die Treppe hoch – zweiter Stock – erste rechts – dritte links – um die Ecke – gegenüber vom Blutbanklabor – die vierte Tür ohne Griff."
Meine Stimme sagte "Vielen Dank", während sich mein Gehirn abmühte, mit der Lagebeschreibung fertig zu werden.
Während des Treppensteigens hämmerte mein Herz bis in den Hals hinauf, das Tempo meiner Schritte verdreifachend. Was werde ich sagen? Wie werde ich es sagen? Ich werde es nie fertigbringen, auf Englisch auszudrücken, was ich zu tun beabsichtige. Mach dir nichts vor, selbst auf Schweizerdeutsch könntest du es nicht!

Ich war im zweiten Stock angelangt und bog in den ersten Gang rechts ab.

Oh Gott, was werde ich ohne "okay" überhaupt sagen können? Meine Schwester mahnte mich neulich, ich solle nicht so viel "okay" sagen, das tue ein gebildeter Mensch nicht. Gerade bei den Ärzten konnte ich diesen Ausdruck also nicht gebrauchen. Unglücklicherweise war es just das eine und einzige Wort, das ich überzeugend aussprechen konnte . . . , sei es am Satzanfang, in der Mitte oder am Schluss. Ganz abgesehen davon war es meine Verzögerungstaktik; es gab mir Zeit zum Überlegen. Und es konnte so viel bedeuten! Wie dumm, dass gerade dieser herrliche Begriff – der einzige, den ich in anständigem Amerikanisch-Englisch aussprechen konnte –, tabu war.

Ich befand mich in einem Korridor ohne Ausgang und lenkte meine Schritte zurück zu einem neuen Anfang. Wie in aller Welt werde ich zu ihnen sprechen? Vielleicht ist es

ganz in Ordnung, wenn ich sage: "Ich möchte Ihre Patienten glücklicher machen und ich glaube, dass ich dies mit Bewegung tun kann. Mein Ziel wäre, den Menschen zu helfen, sich durch den Körper auszudrücken, den eigenen Körper anzunehmen und seiner bewusst zu werden." – Während ich mir überlegte, wie die richtigen Amerikaner diese Gedanken formulieren würden, kam ich am Blutbanklabor vorbei und hatte die Türe gefunden – in der Tat: eine Türe ohne Griff!

Ich holte tief Atem und nahm das zu Hilfe, was mir zeitlebens Schutz gegen Autorität geboten hatte: ein "nettes, unbefangenes Kind" klopfte an die Tür. Sie öffnete sich, um mich hereinzulassen .... Dr. Keermuschel, Direktor des Krankenhauses, sehr höflich, sehr blauäugig ....

Drei Minuten später war das gefürchtete Interview vorüber. Aber innerhalb dieser winzigen Zeitspanne wendete sich das Blatt meines Lebens. Verschwommen erinnere ich mich, dass mich Dr. Keermuschel einer Gruppe uninteressierter Gesichter vorgestellt hatte. "Meine Kollegen", sagte er, indem er höflich auf sechs Männer zeigte, welche es fertigbrachten, hundertachzig Sekunden lang zu schweigen. Dann kam d i e Frage: "Nun also, Frau Schoop, was können Sie für uns tun? Wir wüssten gern etwas über Ihre Methode, wie Sie sie anwenden und welchen Erfolg Sie sich davon versprechen. Was wollen Sie im Einzelnen mit den Patienten tun?"
Ohne Überlegung, eindringlich, ernst, kamen die Worte aus meinem Mund: "Okay, ich möchte mit Ihren Patienten tanzen, okay?" – Schweigen.
Der Blick des Arztes – wie ein blauer Laserstrahl, der meine Seele durchforschte! ...
"Okay!" – Mit diesem einen herrlichen Wort machte er mich zur Tanztherapeutin.

Es folgten noch mehr Worte, die meine Ohren nur vage wahrnahmen: ".... Ich sah Ihre Vorstellung in Chicago .... Ihre Pantomimen .... ein instinktives Erfassen des menschlichen Verhaltens .... interessant zu sehen, wie Sie dies therapeutisch anwenden .... neuer Weg der Behandlung ... " – Dann: "Auf Wiedersehen .... Viel Glück .... Dr. Benson wird Sie herumführen .... "

Das Wunder war vollbracht. Man erlaubte mir also, mit Patienten zu tanzen – hier in diesem Spital. Der junge Mann neben mir nahm mich auf einen Rundgang durch die Abteilungen mit. Erregt folgte ich ihm. Wir wanderten durch endlose Gänge, die voneinander durch drohende Eisengitter getrennt waren. Die Stille wurde nur durch das Geräusch unserer Schritte und das Rasseln der Schlüssel unterbrochen, wenn mein Führer die Gitter aufschloss, um uns hindurchzulassen und sie dann wieder zuschloss. Dieser Vorgang wurde nach einem sorgfältig eingeübten und zeitlich genau abgestimmten Schema ausgeführt, einem Ritual, dessen Zweck mir unbekannt war. Wie Tür um Tür sich hinter uns schloss, war mir, als wanderten wir durch einen seltsamen Traum, die Welt weiter und weiter hinter uns zurücklassend. Zuguterletzt standen wir vor einer massiven Türe. Kein Laut drang von der anderen Seite herüber. Wie Blaubarts Frau zwischen Neugierde und Furcht schwankend, wartete ich, bis der letzte Schlüssel eingesteckt und herumgedreht wurde. Die Tür flog auf. Ich trat über die Schwelle.

In dem unerwarteten Sonnenlicht, das durch hohe vergitterte Fenster strömte, musste ich die Augenlider zusammenkneifen .... Weitere Gitter an der Tür zu einem vergitterten Hof .... Überall Gitter. Ich stand den Menschen gegenüber, deren Anderssein diese Gitter respektierten und schützten. Da sass ein alter Mann, den Kopf grotesk zur rechten Schulter geneigt, regungslos. Ein abgemagertes Mädchen kauerte am Boden und wiegte

Gitter, Gitter ....

sich hoffnungslos in nicht endenwollender Wiederholung hin und her. Eine grinsende Frau, den Rücken dicht an die Wand gepresst, stammelte mit erhobenen Fäusten: "Willst du mit mir boxen . . . willst du mit mir boxen??!" Entlang der rechten Seite des Raumes marschierte ein Mann mit militärischer Präzision acht Schritte links, kehrt, acht Schritte rechts, kehrt; ohne Unterlass. Ich blickte in ein zerfurchtes Gesicht, das wie eine klassische Maske der Tragödie über einen Körper gestülpt war, welcher fröhlich durch das Zimmer hüpfte. Ein anderes Wesen kroch am Boden, suchend, . . . ängstlich suchend – nur auf der Suche. Und unter einer Lampe hielt ein junger Mann tiefe Zwiesprache mit einer Glühbirne. Der Raum war von freudlosem Kichern, gelegentlichem Schluchzen, plötzlichem Schreien, unverständlichem Geschwätz und monotonen Bewegungen erfüllt: eine Photomontage von Bild und Ton. Inmitten der Verwirrung, in Regungslosigkeit gebannt, lebende Statuen, als seien die Körper in diese Haltungen geworfen worden. Der Eine stand unbeweglich am Fenster, in schiefer Haltung, die Arme hilflos ausgestreckt. Der Andere sass hoch aufgerichtet auf einer Bank wie gefangen in einer überreizten Spannung mit Augen, die ins Leere starrten. Was mochte tief im Innern dieser erstarrten Gestalten vor sich gehen?

Ich fühlte mich verschiedene Male sanft am Ärmel gezupft. Auf den Zehenspitzen dicht neben mir stand ein winziges Kind von einer Frau, bleich, mit mondförmigem Gesicht und flüsterte verzweifelt:

"Ah Sisch Aristo Schah!"

Sie neigte und schüttelte den Kopf mit der grossen Haarfülle und spähte verstohlen über ihre Schultern: "Ah Schah, Aristo Schah!" flüsterte sie geheimnisvoll durch eine vorgehaltene, durchsichtige blaugeäderte Hand. Jeder Finger war mit einem andersfarbigen Bändchen geschmückt. Wer mochte ihr wohl all diese hübschen Schleifchen binden?

"Schah! Hipto Schah! Ra - ta - Schah!"

"Höret was der Geist den Kirchen sagt!" Vor mir stand eine gotische Gestalt aus einem bunten Kirchenfenster – gross, dürr, mit ausgestreckten Armen. Die tiefliegenden Augen des Mannes starrten aus geheimen Tiefen, durchbohrten mich und gingen in die Weite. "Wen ich liebe, züchtige ich!" – Ein Arm war hochgestreckt, der Zeigefinger auf den rachsüchtigen Gott im Himmel gerichtet. "Seid eifrig und tut Busse!" Plötzlich drängte sich ein Mann in unsere enge Dreiergruppe und beherrschte sogleich die Situation: "Nun lass nur, John, das ist genug für heute", und die gotische Gestalt war verbannt. "Du auch, Isabelle, lass unseren Besuch los, damit ich ihn herumführen kann". Er löste die Umklammerung ihrer Hand und zog mich zur Seite.

"Gestatten Sie, dass ich mich vorstelle", sagte er mit einer galanten Verbeugung. "Ich heisse Andrew Carrington". Seine Knie hüpften ständig auf und nieder, er schnippte mit den Fingern . . . knack, knack, knack! "Dieser kleine Platz gehört mir. Vor einem Jahr machte ich ein gutes Geschäft damit, mit einem Burschen, der in Las Vegas sein Geld verlor. Natürlich könnte man einiges verbessern, aber alles zu seiner Zeit, alles zu seiner Zeit". Und er hüpfte auf und ab. "Er weist einige ausgezeichnete Eigenschaften auf . . . . knack, knack, knack . . . . erstklassig, sozusagen . . . . "

Seine Begeisterung war ansteckend. Ich verfolgte das Auf- und Abhüpfen, das Fingerschnalzen, während er sein Inventar mit stolzen Gesten zeigte: den Fernsehapparat, den Ping-pong-Tisch, die harten Eichenbänke, den einsamen Gummibaum in der Mitte des Hofes. Dann stellte mir Carrington mit der unermüdlichen Höflichkeit eines Reiseführers einige der Insassen vor. Unter ihnen begegnete ich einem Satan (rundlich, kahlköpfig, auf seine Füsse starrend), zwei Eisenhowers: dem General (der elegant grüsste)

Isabelle

und dem Präsidenten (mit hochgezogenen Augenbrauen und einem Ausdruck des permanenten Erstaunens), Marilyn Monroe (den Inhalt ihrer grossen Handtasche durchwühlend) und der Jungfrau Maria (die Kaugummiblasen machte und kicherte, wenn diese platzten).

Während ich Satans ausführlichen Abhandlungen über die Vorzüge des Dodgers Baseball Teams lauschte, fing ich einen Blick des Arztes auf, der mir signalisierte, dass es Zeit sei zu gehen. Isabelle drückte mir eine ihrer Schleifen in die Hand. Es war die hellblaue von ihrem kleinen Finger.

Während der Arzt den Wärtern die letzten Anweisungen erteilte und die grosse Türe aufgeschlossen wurde, blickte ich noch einmal zurück. Eine Atmosphäre der Abstraktion hing über der Station und ebenso abgetrennt von der Wirklichkeit waren alle die Wesen, die ihr traumähnliches Leben innerhalb der nüchternen Schlafsäle und Tagesräume auslebten. Gebannt sah ich die Portraitierungen, die Personifizierungen. Es schien mir, dass diese Männer und Frauen über alle Attribute und Techniken des Theaters verfügten. Hier waren die symbolischen Gesten, der übertriebene Ausdruck, die Intensität der Projektion, die Masken, das Märchen, die Fantasie. Diese Menschen spielten Komödie, Possen und Tragödie. Am faszinierendsten war die Präzision des Ausdrucks, mit der ihre Charakterbilder nachgezeichnet wurden. Die ganze Szene hatte etwas Unwirkliches an sich, losgelöst von allem und in der Zeit stillstehend. Wie ein Albtraum: die Einsamkeit, die Isolation des Einzelnen. Erstaunlich: Die Choreographien. Siebenundachzig Solisten in beliebigen Rollen – jeder sein eigenes kleines Divertissement à la bravura vorführend und grosszügig eine Zugabe nach der anderen gebend. Ein Ballett des Wahns. Ein geisterhaftes Perpetuum mobile.

Zehn Minuten später befand ich mich wieder in meinem Wagen auf dem Heimweg. Mein Gehirn brannte von Eindrücken – Fragen über Fragen stiegen in mir auf. Würde es je möglich sein, diese entrückten menschlichen Wesen auf irgend einer Ebene der Wirklichkeit zu treffen? Konnte ich, wie Pygmalion, die "Statuen" zum Leben erwecken? – Oh wie lächerlich! Wie könnte ich das je tun? Was weiss ich schon von einer gestörten Psyche? Sehr, sehr wenig. Nun, worüber w e i s s ich Bescheid? – Über den Körper, das ist alles. Ich habe den Körper immer als greifbare Wirklichkeit des Menschen betrachtet. Könnte diese fühlende menschliche Struktur mir nicht bei meinem neuen Vorhaben helfen, genau so wie sie es während meiner Karriere als Tänzerin tat? Was trug mein Körper zu diesem Beruf noch bei, ausser seinem erworbenen technischen Können? Nun, ich konnte mich jedenfalls immer auf ihn verlassen, um ein Gefühl auszudrücken, eine Rolle oder eine Charaktereigenschaft darzustellen. Aber es gab noch etwas anderes .... Während dem Gestalten meiner Fantasien fanden in meinem Wesen positive Veränderungen statt. Jene ersten Pantomimen fungierten als "getanzte Psychoanalysen". Meiner persönlichen Perspektive öffneten sich Wege zum Besseren; ich entdeckte tiefliegende Konflikte, von denen ich vorher nichts wusste. Und wenn ich jetzt daran denke, waren viele meiner grundlegenden Probleme tatsächlich verschwunden. Was hatte ich eigentlich mit meinem Körper getan, um solche Veränderungen zu bewirken? Nun, ich hatte ihn in jeder nur denkbaren Weise bewegt, um meine Gefühle und Vorstellungen mitzuteilen. "Kommunikation mittels Bewegung" – das ist kaum ein welterschütterndes Konzept! Dem muss mehr zugrunde liegen; das muss ich herausfinden. Aber was auch in diesen Prozess verwickelt sein mag – es half! Wäre es also nicht möglich, dass es auch den Menschen hülfe, die ich heute Nachmittag besucht hatte?

Ich hoffte es. Ich wollte es unter allen Umständen versuchen. Vielleicht bringt mir Isabelles Bändchen Glück. Diese neue Welt hatte begonnen, mich in ihren Bann zu ziehen.

Beggin

"Aus welcher Abteilung kommt die wohl?"

MONTAG MORGEN. Ich befand mich allein im Gemeinschaftsraum des Krankenhauses und erwartete die erste Gruppe der mir zugewiesenen Patienten. Die Ärzte hatten meiner Fähigkeit vertraut, diesen neuen Plan einer Tanztherapie durchzuführen. In diesem Augenblick wünschte ich, dasselbe Vertrauen zu haben. Wie würden die Patienten auf die gemeinsamen Stunden reagieren? Es begann in meinen Handflächen wieder zu kribbeln. Weshalb diese Nervosität . . . . diese Angst? Es blieb keine Zeit für eine Antwort, ein Pfleger erschien im Türrahmen und wies die Patienten in den Saal. Vorsichtig sammelten sie sich in der Nähe des Eingangs . . . . wartend . . . .

"Guten Morgen!" Mein fröhlicher Ton entsprach nicht meinen Gefühlen. Die Art und Weise, wie sie dort standen, sagte mir, dass sie darüber verstimmt waren, ihren üblichen Tagesablauf unterbrochen zu sehen.

"Bitte wollen Sie nicht eintreten?", schlug ich ermutigend vor. Zweiundzwanzig Patienten, die als chronisch Schizophrene gestempelt waren, tröpfelten langsam in den Saal, eine Atmosphäre von Argwohn, Feindseligkeit, Angst und Misstrauen mit sich führend. Einige erprobten das Klavier, andere befühlten den Tisch, berührten eine Wand. Viele liefen ziellos herum, auf den Boden starrend, und zwei Männer blieben mit trotzig aufgepflanzten Füssen an der Türe stehen. Was diese Patienten auch taten, ob sie sich mir zuwendeten oder mir den Rücken zukehrten, immer hatte ich das Gefühl, verstohlen gemustert zu werden und eine strenge Prüfung bestehen zu müssen.

"Also! Ich möchte Ihnen gerne sagen, wer ich bin und weshalb ich hier bin. Bitte würden Sie sich alle im Kreis hinsetzen."

Diese Aufforderung, die mir in meiner Unerfahrenheit so selbstverständlich, so einfach erschien, bewirkte ein unvorhergesehenes Problem, das zur Katastrophe führte. Jede überhaupt mögliche Variante eines Nicht-im-Kreis-am-Boden-Sitzens entfaltete sich vor meinen erstaunten Augen. Einer der Patienten drapierte sich über einen Stuhl. Ein anderer schoss durch den Saal und begann auf die Klaviertasten zu schlagen. Einer bückte sich und verschwand unter dem Tisch. Ein anderer wickelte sich in den Vorhang. Einige unterstützten dieses organisierte "Nein" damit, dass sie sich auf den Boden legten, Einwände vorbrachten, Streichhölzer verlangten, kicherten oder aus dem Fenster schauten. Die Mehrzahl aber zog sich einfach in die Sicherheit ihres gewohnten Verhaltensmusters zurück, in die Geborgenheit ihrer eigenen Welt.

Ich machte einige erbärmlich erfolglose Versuche, ihre Aufmerksamkeit zu gewinnen. Dann gab ich es auf und konzentrierte mich auf die Wenigen, die sowieso am Boden waren. Ich setzte mich zu ihnen und begann von neuem.

"Nun denn, ich heisse Trudi. In unseren gemeinsamen Stunden werden wir Übungen machen, die die Muskeln kräftigen und den Körper gelenkig machen. Wir werden nach Musik tanzen und . . . . " – "Tanzen!" – Wie auf ein Stichwort entstand allgemeiner Aufruhr. "Tanzen", wurde ich belehrt, "ist für Weichlinge". "Meine Mutter würde das nie erlauben" – "Tanzen ist gegen meine Religion" – und eine Frau erklärte kategorisch: "Meine Tante bekam die Masern vom Tanzen".

Als eine geschlossene, beleidigte Gruppe bewegten sie sich mit grosser Würde zur Tür. Der Pfleger zuckte die Achseln und führte sie hinaus. Und durch das Gedränge hörte ich eine Stimme:

"Aus welcher Abteilung kommt die wohl?"

Ich war wieder allein.

DIENSTAG MORGEN. Wieder hörte ich die schleppenden Schritte der Patienten im Korridor. Wieder beobachtete ich sie, als sie vom selben Pfleger – Herr Dakin – hereingeführt wurden, der genau so müde aussah wie seine Gruppe. Der Anblick dieser lustlosen Gestalten bestärkte mich in meinem Plan für die heutige Stunde.
"Heute möchte ich mich mit Gefühlen beschäftigen. Lassen wir unseren Gefühlen freien Lauf!" rief ich mit Begeisterung aus. "Beginnen wir damit, wütend zu sein. Zeigen Sie mir, was Sie tun, wenn Sie wütend sind!"
Der Raum hallte vom Schweigen wider. Eine Weile starrten wir einander an. – "Ich meine . . . . zeigen Sie mir . . . . wie reagieren wir, wenn wir wütend sind? Wie bewegen wir uns?" ––
Endlich unterbrach eine schwache Stimme das tödliche Schweigen: "Es ist nicht schön, wütend zu sein" – Eine zweite: "Ich bewege mich nicht, wenn ich wütend bin." Eine dritte: "Ich bin nicht wütend, ich war nie wütend und ich werde nie wütend sein!"
"Oh mein Gott! Es ist doch in Ordnung, wütend zu sein. Wir alle sind manchmal wütend, nicht wahr? Ich kann sehr wütend sein!" Ich begann zu fühlen, was ich sagte. "Ich, zum Beispiel, stampfe mit den Füssen, ich schlage zu, ich schüttle die Faust. In dieser Art und Weise!" Und ich demonstrierte diese Symbole der Wut mit meiner ganzen Kraft und mit heftiger Gemütsbewegung. Das gefiel ihnen.

Ermutigt durch den ersten Schimmer eines Interesses, versuchte ich die Stellung zu halten. "Nun denn, jetzt seien Sie wütend!" – "Machen Sie das nochmals" forderte jemand. Ein Chor von Stimmen schloss sich an: "Ja, machen Sie es noch einmal" –
So wiederholte ich meine Bewegungsstudien über die Wut. Jemand lachte. Die Reaktion war ermutigend, aber ich wusste, dass ich nicht endlos damit fortfahren konnte, zweiundzwanzig Patienten und einen Pfleger zu unterhalten. Ich hatte Gescheiteres zu tun. Ich hatte weit mehr versprochen! Ich musste ihre Gefühle wecken! "Stampfen Sie – schlagen Sie – schreien Sie! Seien Sie zornig, wütend . . . . ausser sich!" – Vierundvierzig Augen starrten in die Weite. Vierundvierzig Arme bewegten sich hilflos. Vierundvierzig Beine versuchten ihre bleiernen Füsse zu heben. Zweiundzwanzig Gemüter wollten nicht, was ich wollte. Zweiundzwanzig Körper konnten nicht ausdrücken, was sie nicht empfinden wollten. Jemand entfernte sich – jemand setzte sich – jemand sah aus dem Fenster, gelangweilt, uninteressiert, kraftlos.

In meiner Verzweiflung begann ich nochmals. In einem Anfall von Wut sprang ich hoch, ich schlug zu, ich rannte im Saal hin und her. In raschen Drehungen griff ich an, keuchend, stampfend, Feuer speiend; ich warf mich in die Luft, fiel zu Boden, landete eine Attacke; schwitzend, mit klopfendem Herzen hörte ich schliesslich auf. – Wieder zu mir gekommen, sah ich, dass ich mein Publikum verloren hatte. Nur zwei Männer waren zurück geblieben. Einer trat näher:

"Geben sie Dir Weckamin?"

MITTWOCH MORGEN. Ein bisschen mitgenommen, vielleicht auch gelöst von den gestrigen Gefühlsausbrüchen, erwartete ich meine Gruppe zum dritten Mal. Ich fühlte mich

schuldig. Ich wusste, dass ich die einzige war, die von diesem Vormittag einen therapeutischen Nutzen davongetragen hatte. Frei von Affekten, war meine Wut verraucht. Heute morgen waren meine Gefühle sanft und voller Liebe, sowohl mir als auch meinen Patienten gegenüber, ja sogar für die ganze Welt. In dieser alles umarmenden Stimmung hatte ich vor, die heutige Stunde zu gestalten.

Ich kniete neben dem Klavier nieder und begann, meine Hilfsmittel auszubreiten: rhythmische Schlaginstrumente, bunte Tücher und eine Anzahl von Glockenspielen und Schellen für Klangexperimente. Ein Hüsteln unterbrach meine Vorbereitungen. Hinter mir standen der Pfleger und eine Handvoll Patienten, die alle teilnahmslos mein Tun beobachteten. Verwirrt sprang ich auf.
"Wo bleiben die andern?" fragte ich Herrn Dakin.
"Ja, es scheint, dass wir heute morgen viele Leute mit Halsschmerzen haben", erwiderte er und begab sich mit einem vielsagenden Augenzwinkern auf seinen gewohnten Platz bei der Tür. Zum erstenmal sah er heiter aus.

Den restlichen Mitgliedern meiner Gruppe gegenüberstehend, entschied ich mich, mit einem schönen, weichen, flüssigen Hin- und Herschwingen zu beginnen. "Stellen wir uns in einem Halbkreis auf" – erstaunlicherweise taten sie es. Ihr Mitmachen war ermutigend. "Jetzt möchte ich, dass Sie Ihren Körper schwingen lassen, ganz wie Sie wollen. Erfinden Sie irgend einen Schwung. Lassen Sie den Körper los!"
Niemand versuchte es. In einem Gesicht war Furcht zu lesen, in einem anderen Verwirrung. Was hatte ich so Schockierendes gesagt? Für mich ist Schwingen eine Freude. Es schafft solch ein wunderbares Gleichgewicht zwischen Kontrolle und Loslassen.

"Stellen Sie sich Weizenfelder vor, die vom Winde bewegt werden, hin und her, auf und nieder . . . . oder Wellen, die ans Ufer rollen und hinausfluten!" – Mein Versuch der Bildersprache misslang. Sie reagierten nicht. Warum nicht? Was war daran so bedrohlich, frei zu schwingen? Es schien, als hätte ich gefährlichen Boden betreten.

"Schauen Sie, was ich kann!" Es war Emma: sie beugte sich vor und zeigte mir, dass sie ihre Zehen berühren konnte, ohne die Knie zu beugen. Andere machten es ihr nach.
"Ich kann Liegestütze machen", verkündete Carl. Und er begann es zu demonstrieren.
"Als ich beim Militär war, konnte ich vierzig Kniebeugen machen" – das war Fred. "Los", rief er, "machen wir es zusammen. Eins, zwei, drei, vier, eins, zwei, drei, vier!"

Zum erstenmal sah ich diese Menschen vage als Gruppe arbeiten. Ich sah sich regende Körper, leise Begeisterung. Weshalb folgten sie Fred und nicht mir? Allmählich zogen sich die Frauen von diesem anstrengenden männlichen Wettkampf zurück. Sie setzten sich nahe an eine Wand. Eine Frau weinte, eine begann, sich hin- und herzuschaukeln – eine andere stocherte in den Zähnen.

Ich verlor die Führung – ich musste sie irgendwie wieder finden. Zumindest hatte es etwas Beteiligung gegeben! Wenn ich vielleicht damit anfinge, jeden Körperteil einzeln zu bewegen? "Zeigen wir einmal, was wir mit unseren Händen tun können!", rief ich aus. "Wir können sie auf und ab, von einer Seite zur andern und rundherum bewegen." Ein paar Patienten versuchten, die Handbewegungen mitzumachen. "Was können wir mit unseren Köpfen tun?" fuhr ich etwas sicherer fort. "Sie können sich nach oben und nach unten bewegen, von einer Seite zur anderen . . . und herum und herum . . . " – Ausser den drei Isolierten, die nie von ihren eigenen Bewegungsmustern abwichen, taten alle anderen etwas mit ihren Köpfen, das wie Kreisen aussah. Beglückt über diesen Erfolg, fuhr ich fort: "Und was können wir mit unseren Hüften tun? Wir können sie von einer Seite zur anderen bewegen, vorwärts und rückwärts und rund . . . !"

Warum hörte Carl auf? Warum kicherten Rosalie und Emma miteinander? Was machte Walter, der mir den Rücken zuwandte? Jemand pfiff scharf wie ein Schürzenjäger. Fred kam auf mich zu, mit einem eindeutigen Seitenblick sein Becken vor- und rückwärts bewegend in offenkundiger sexueller Aufforderung. Was würde geschehen, wenn Dr. Keermuschel gerade in diesem Augenblick hereinkäme? Was mache ich jetzt? Ich wurde unsicher. Mein Selbstvertrauen begann zu schwinden. Schnell holte ich die Schlagbesen und drückte jedem einen in die Hand.

"Jetzt werden wir alle einen leisen Walzerrhythmus auf den Boden schlagen! Ungefähr so: eins, zwei, drei, eins, zwei, drei!" Ich machte einen letzten verzweifelten Versuch, meine aufgelöste Gruppe zu vereinen. Aber Fred übertrug seinen angeregten Zustand lediglich auf dieses neue Ventil. Weshalb auf den Boden schlagen, wenn es so viel aufregender war, auf das Klavier, die Vorhänge oder sich selbst zu schlagen? Die anderen Männer folgten seinem Beispiel: die Schlagbesen wurden zu Schwertern. Sie wurden in Stücke zerrissen, flogen durch die Luft, jagten kreischende Frauen durch den Saal. Am fernen Rand des Chaos' erspähte ich den Kopf des Pflegers, der sich langsam vor- und rückwärts bewegte. Meine Knie versagten. Ich liess mich hart auf die Klavierbank fallen. Mit schwacher Stimme sagte ich:

"Genug für heute" –

Ich sah unseren einsamen Kritiker die turbulente Gruppe sammeln und sie geschickt durch die Türe steuern. Es gelang mir, meine Stimme wieder zu finden: "Herr Dakin, würden Sie bitte Dr. Keermuschel ausrichten, dass ich nicht vor Montag zurück sein werde. Ich habe heftige Halsschmerzen!" –

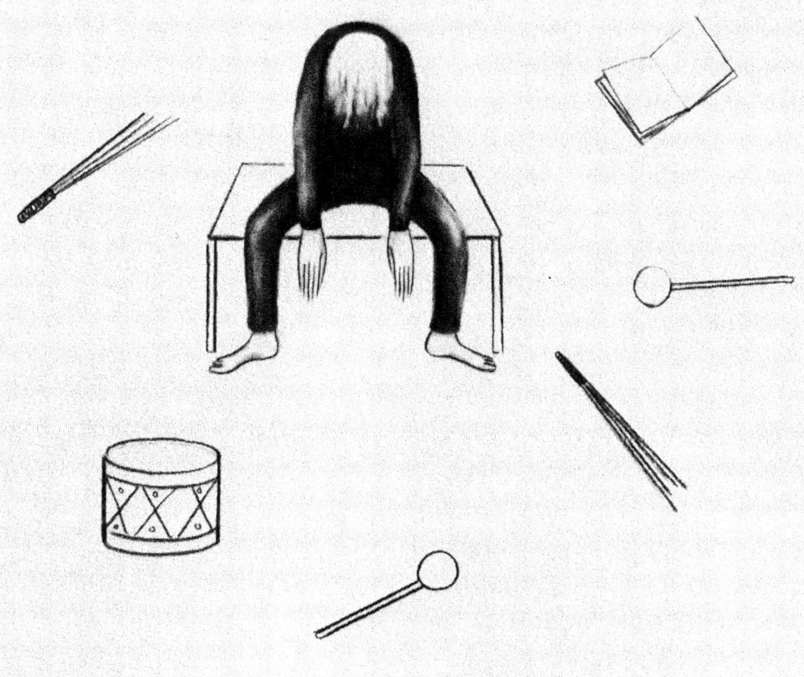

Auswertung

Ich erspare mir ein Ferngespräch

Über ein langes Wochenende dämmerte es mir, wie erbärmlich ich versagt hatte. In welch einem Misserfolg, in welch einer Blamage endeten diese drei ersten Tage! Es blieb mir nichts anderes übrig, als Dr. Keermuschel anzurufen und ihm zu sagen, dass ich sein Vertrauen nicht verdiene und dass ich nicht qualifiziert sei, mich Tanztherapeutin zu nennen.

Ich rief mir das Ende der Montagsstunde in Erinnerung: Noch einmal sah ich alle Patienten voller Protest auf die Türe zugehen. Nicht einer hatte sich nach mir umgedreht, keiner schenkte mir ein Lächeln, nicht einer sagte: "Auf Wiedersehen". Niemand. – Und? Was hatte ich denn um Himmelswillen erwartet? Dass meine grandiosen Ideen augenblicklich von Erfolg gekrönt sein würden? Welches Recht hatte ich, mich so hoffnungslos meinen eigenen, verletzten Gefühlen hinzugeben? Denn das war es doch im Grunde genommen, nicht wahr? Ich musste geliebt, akzeptiert, bewundert werden. Ich konnte keine Abweisung ertragen. Gefühlsdusel!

Und dann: "Geben sie Dir Weckamin?" – Das war gerade die Frage, die mir noch gefehlt hatte! Meine exhibitionistischen Tendenzen waren von einem Patienten entdeckt worden! Konnte ich mich denn nicht beherrschen? Als ich sah, dass meine Schüler Wut nicht ausdrücken konnten oder wollten, musste ich ihnen natürlich zeigen, wie man das macht, nicht wahr? Was für eine Vorstellung hatte ich gegeben! Ich musste meine Klasse übertrumpfen! Ich musste mich hervortun. Ich musste mich beweisen, überlegen fühlen! Wichtigtuer!

Ich begann mich zu fragen: Weshalb entschliesst sich ein Mensch für die Arbeit mit psychotischen Kranken? Was mag einen Menschen dazu bewegen, gerade dieses spezielle Gebiet zu wählen? Das Bedürfnis, gebraucht zu werden? Der Wunsch, das Unbeherrschbare zu beherrschen? Ist es das uns fremde, psychotische Verhalten dieser Menschen, das uns so fasziniert? Dienen uns die Patienten als Objekte der Identifikation, des Mitleids, der Herablassung? Interpretieren wir ihre Verhaltensweisen vom Standpunkt unserer eigenen Schwierigkeiten aus? Was haben meine eigenen Konflikte zu diesen verpatzten Stunden beigetragen? Sehr wahrscheinlich wäre das Ergebnis anders ausgefallen, hätten meine eigenen Probleme die Arbeit nicht beeinflusst. Ich muss an mir arbeiten – ich muss meine Probleme loswerden und ich werde sie loswerden.

Ich ging die drei Tage wieder und wieder durch. Meine Stunden der Irrtümer als "Tanztherapeutin" erwiesen sich schliesslich mehr und mehr als wertvoll. Welche besonderen Kenntnisse konnte ich daraus gewinnen? Genauer: Was hatte ich gelernt? Ich schrieb meine Gedanken auf:

1. Es ist unmöglich, mit 22 psychotischen Menschen in einer Klasse zu arbeiten. Sechs oder acht wären mehr als genug.

2. Es wäre wahrscheinlich auch besser, zuerst ähnlich disponierte Patienten zusammen in eine Gruppe zu nehmen, z.B.:

   Introvertierte für sich,
   Extravertierte
   Kontaktarme
   Kontaktwillige.

Nach einiger Zeit wäre es möglich, diese Gruppen wieder zu mischen, um Anregungen für die weitere Arbeit zu gewinnen.

3. Mit Patienten, die viel persönliche Zuwendung brauchen – solche, die die Klasse durch ihr lautes, auffälliges, oppositionelles, liebesbedürftiges Benehmen stören –, müsste ich einzeln arbeiten – bis sie sich akzeptiert fühlen und die auf sie konzentrierte Beachtung nicht mehr so nötig haben.

4. Dasselbe würde wahrscheinlich auch für ganz unnahbare oder zu Tätlichkeiten neigende Patienten gelten.

5. Noch etwas: Die von den Patienten getragenen Privatkleider sind einfach unmöglich. Trainingsanzüge für die Männer und weite Umschlagröcke mit Turnleibchen für die Frauen will ich vorschlagen. Was für einen Unterschied würde das machen!

Nun aber zurück zu meinem eigenen Verhalten. Was lehrten mich die Patienten?

1. Ich muss lernen, flexibel zu sein.
Ich habe diese Stunden zu sorgfältig geplant, nämlich so sorgfältig, dass ich den Kopf verlor, als die Patienten ausstiegen. Ich sollte solche Abweichungen als ein positives Anzeichen des individuellen Bedürfnisses annehmen. Man könnte aus der Abschweifung des Patienten eine neue Thematik entwickeln. Meine Zustimmung würde nicht die Aufgabe des für die Klasse gestellten Ziels, sondern lediglich einen Umweg bedeuten. Wenn ich sie ermutigt und unterstützt hätte, wenn ich ihrem Wunsch nach "Turnen" nachgegeben hätte, dann hätten die Patienten gefühlt, dass ich sie und ihren Beitrag anerkenne. Es hätte eine wirksame Lektion sein können, wenn ich die Gelegenheit genutzt und versucht hätte, ihre eigenen Bewegungsthemen zu erweitern und zu variieren. Schliesslich wären die turnerischen Übungen ganz von selbst in tänzerisch-ruhige Schwingungen übergegangen, die ich ja geplant hatte. Stattdessen war ich nicht darauf eingegangen: ich hatte mich geweigert, ihnen auf ihrer Ebene zu begegnen. Ich hatte auf meinen eigenen vorgefassten Ideen bestanden und ihnen keine neue Bewegungserfahrung ermöglicht. Ich hatte ihre Darbietung abgelehnt. Dummkopf.

2. Ich bin viel zu schnell – viel zu weit gegangen.
"Erfinden Sie einen Schwung!" Was war das für eine unvernünftige Aufforderung. Wie konnte jemand wissen, was eine Tänzerin unter einem Schwung versteht. Und noch mehr von diesem Unsinn: "Schwingen Sie Ihren Körper ganz wie Sie wollen!" – Nein, aber auch! Ich verlangte eine Entscheidung von diesen Menschen, die gar nicht wissen konnten, worüber sie sich entscheiden sollten. Sie waren hilflos gegenüber ihrer freien Wahl der Bewegung, die ich so gedankenlos verlangte.

3. Keiner reagierte auf die Bilder, die ich gab, um einen Schwung auszulösen. Vielleicht hatten sie nie Weizenfelder im Wind gesehen. Vielleicht hatten sie Angst vor den Wellen des Meeres. Könnte nicht ein Bild, das mir harmlos erscheint, auf sie bedrohlich wirken? Wieso lasse ich die Patienten nicht ihre eigenen Bilder bringen? Ich könnte sie fragen: "Woran erinnert Sie mein Schwingen?" Würde das nicht jedem Patienten erlauben, aus seiner eigenen Erfahrung heraus zu reagieren? Würde es ihn nicht ermutigen, sich aktiv zu beteiligen, sich auf seine eigene Initiative zu verlassen, statt in passiver Haltung von meinen Anregungen abhängig zu sein? Ausserdem könnte mir jede persönliche Ideen-Assoziation wertvolle Aufschlüsse über sein Wesen geben. Wer weiss, vielleicht hülfe es ihm sogar, mehr über sich selber zu erfahren.

Gruppierung der Patienten

Vorsicht mit Gefühlen!
Als ich meine Gruppe aufforderte, Wut darzustellen, stiess ich auf verständnislose Blicke und auf verschiedene Zeichen des Widerstandes. Jetzt weiss ich, wie naiv es war, von einem Menschen zu erwarten, dass er seine Gefühle zeige, nachdem er seit Jahren ausschliesslich damit beschäftigt war, sie entweder zu unterdrücken oder sie zu verdrängen. "Ich bin nicht wütend, ich war nie wütend und ich werde nie wütend sein!" Diese knappe Aussage hätte warnend genug wirken sollen. Andererseits aber: wie ungeheuer lebenswichtig ist es, diese unterdrückten Gefühle an die Oberfläche zu bringen! Die Frage ist nur w i e ?

Ich muss zugeben, in jeder Lektion, in jeder Hinsicht verlangte ich von den Patienten, dass sie auf meine Art fühlten, dass sie sich auf meine Art ausdrücken sollten. Ich spielte mich als kleinen tanzenden Diktator auf – ich . . . . immer nur ich und ich!

Wenn ich ins Krankenhaus zurückgehe, werde ich versuchen, auf die Bedürfnisse der Patienten einzugehen. Ich werde sehr langsam arbeiten – als hätte ich 100 Jahre Zeit. Ich muss offen und flexibel, statt beharrend und dominierend sein. Ich werde meine Schüler nicht mehr mit meinem Überschwang zum Verstummen bringen, noch sie mit meiner theatralischen Besessenheit schockieren! Ich darf ihnen keine Freiheit zumuten, solange sie Angst vor dieser Freiheit haben.

Ich stutzte über das was ich eben geschrieben habe: "Wenn ich ins Krankenhaus zurückgehe . . . . " Es scheint, dass ich meinen Entschluss geändert und mir ein Ferngespräch erspart habe . . . .

Noch bleibt ein Problem ungelöst: Wie kann der Widerstand meiner Patienten gegen Gefühlsäusserungen überwunden werden? Sie weigerten sich, Wut einzugestehen. Allein schon das Wort schien bedrohlich. Wie kann ich jemals ihre verdrängten Gefühle lösen, heraufholen, ohne diese Gefühle beim Namen zu nennen? Ohne das "Wort" zu Hilfe zu nehmen? Wie wäre es, anstatt des Wortes "Handlung" einzusetzen. Ich könnte Bewegungen, Spannungen und Haltungen anwenden, mit denen wir diese Gefühle ausdrücken z.B.: Wenn ein Mensch plötzlich den Atem anhält – aufschreit – seine Schultern hochzieht – die Augen aufreisst – zurückweicht – erstarrt ––– können wir nicht plötzliche Angst erkennen?
Und wissen wir nicht auch, was ein Körper aussagt, wenn er sich öffnet, jauchzt, seine Spannung gelockert – seine Mitte gehoben – sein Atem flüssig ist –, die Füsse leicht über die Erde gleiten? Können wir auf diese Weise nicht Wohlbefinden und Freude ausdrücken, erkennen?

Nehmen wir nun an, ich will das Gefühl der Wut heraufholen. Menschen stampfen, wenn sie wütend sind; ich könnte Stampfen anwenden. Menschen boxen, Menschen treten, hauen, kratzen, ziehen, stossen, zischen. Was würde geschehen, wenn der Körper eines Patienten solche Formen der Wut wiederholte? Würde das Gefühl ausgelöst, trotz der Notwendigkeit, es zu unterdrücken? Könnte ihn sein Körper zum Gefühl zwingen? Es ist aufregend, darüber nachzudenken. Aber eigentlich ist es gar nicht so merkwürdig. Wird denn der Geisteszustand des Menschen nicht ständig durch den Körper ausgedrückt? Und umgekehrt – beeinflusst die körperliche Erfahrung nicht unseren geistigen Zustand? Es scheint belanglos zu sein, ob der Geist oder der Körper den Anfang macht. Die beiden Zustände des Seins beeinflussen und verstärken sich.

Geisteszustand		Körpererfahrung	Körpererfahrung		Geisteszustand
Depression führt zu		Schlaffheit	Schlaffheit führt zu		Depression
Glückgefühl	=	hüpfen	hüpfen	=	Glückgefühl
Nervosität erzeugt		Spannung	Spannung erzeugt		Nervosität
Kälte erzeugt		Abweisung	Abweisung erzeugt		Kälte
Wärme gibt das Gefühl von		Geborgenheit	Geborgenheit gibt das Gefühl von		Wärme

Zu den Patienten: Spiegelten sich ihre geistigen Verwirrungen nicht in ihren körperlichen Verwirrungen wider? Und trug ihre körperliche Verwirrung nicht dazu bei, die Verwirrung des Geistes zu verstärken?

Natürlich sind diese Beispiele zu sehr vereinfacht. Jedes Gefühl kann auf tausenderlei Weise ausgedrückt werden. Aber basiert die psychische Ausdrucksweise eines Gefühls nicht auf den gleichen Ausdruckselementen, die in jedem von uns vorhanden sind? Rhythmische Muster, Stellungen, Formen, Ausführung von Bewegungen, Grade der Spannung, Raumempfinden – diese Elemente bilden das gemeinsame Thema, das der Einzelne in seine persönlichen Formen umwandelt. Die Variationen mögen noch so individuell sein, wir vermögen die bekannten Elemente zu erkennen, die ihnen zugrunde liegen. Sie sind die Grundlage der menschlichen Verständigung. Sie sind universell, sie sind an sich der Ausdruck des Menschen!

Aber an jenem ersten Tag sah ich auf der Krankenhausstation Ausdrucksweisen, die ich nicht verstand. Normalerweise ändert sich der Ausdruck des Menschen, wenn ein neuer Reiz einwirkt. Seine Stimme und seine Bewegungen nehmen eine andere Qualität an. Sein Körper projeziert ein anderes Gefühl. Deshalb war es unheimlich zu sehen, wie einige dieser Patienten nur ein einziges Gefühl ausdrückten, ein einziges Bewegungsmuster wiederholten, ungeachtet dessen, was um sie herum vorging. Es war, als hätten sie sich vor jeder neuen Erfahrung abgeriegelt.

Noch unverständlicher war der Anblick von zwei in ein und demselben Körper erstarrten Ausdrucksweisen. Da war jener Mann mit dem schrecklich traurigen Gesicht, der so leichtfüssig durch die Abteilung hüpfte. Und die Frau mit dem Lächeln, die mit mir oder mit jedem, der in ihre Nähe kam, kämpfen wollte. Was geschah hier mit der Wechselbeziehung? Der Körper hüpft nicht, wenn er traurig ist. Menschen schlagen nicht zu, wenn sie glücklich sind.
Oder tun sie es doch?

Spaltung und Einheit

Kann sich der Körper denn nicht entscheiden?

Weiss der Körper eigentlich, was er will? Habe ich nicht schon an mir selbst diesen widersprüchlichen Zustand erlebt? Es ist eigenartig. Manchmal, wenn ich mich ganz zufrieden fühle, mit allen Zeichen körperlichen und seelischen Wohlbehagens, meldet sich plötzlich meine rechte Schulter, die verkrampft hochgezogen ist und weh tut. Warum fühlt diese Schulter anders als mein übriger Körper? Warum stimmt sie nicht mit meinem allgemeinen Tonus überein?

Und mein guter Onkel Ulrich mit seiner so starken, überlauten Stimme und seinem eingefallenen, engen Brustkorb? Warum projiziert seine Gesamthaltung Schwäche – vielleicht sogar Ängstlichkeit, während die Laute, die er von sich gibt, so angriffig tönen? Und was zwingt ihn denn ständig mit dem Fuss zu klopfen? Kann sein Fuss nicht einmal still sein? Kann seine Stimme nicht so tönen, wie sein Brustkorb aussieht? Kann sich sein Körper denn nicht entscheiden?

Was ist am Tier, an seinem Verhalten, an seinem Wesen so beglückend? Wenn Blue, mein goldener Retriever, seinem Ball nachrennt, dann rennt alles an ihm. Es ist nicht nur Blue, der rennt. Es ist "Rennen in Blue"! Und wenn meine wunderschönen Katzen sich nach dem Essen putzen, was ist das für ein Putzen! Alles an und in diesen Katzen putzt sich. Kein einziges Barthaar denkt an etwas anderes.

Warum fällt uns Menschen dieses Einssein so schwer? Selbst die besten Körper meiner Tanz-Studenten in meinen Klassen sind oft geteilter Meinung. In einer Drehung z.B. kann sich irgend ein isolierter Teil des Körpers der Idee "Drehung" widersetzen. Der Körper dreht sich zwar, aber ein Fuss schleift nach – der Kopf geht nicht mit, eine Schulter bleibt zurück – es ist, als stünde er vor der Schicksalsfrage: Drehen oder Nicht-Drehen. Und manchmal führt der Körper eines Menschen die Tanzbewegungen zwar aus, seine Gedanken jedoch sind zu Hause geblieben. "Habe ich das Gas abgestellt?" – "Hätte ich gestern Abend nicht eine bessere Antwort geben können?" – "Soll ich Spaghetti oder Nudeln kochen?" – "Sei vorsichtig, fall nicht wieder hin beim Springen" – und schon stolpert dieser uneine Körper und fliegt der Länge nach hin. Warum fällt es uns so schwer, ganz und gar bei einer Sache zu sein? Warum sind wir so oft abwesend? Uneinigkeit ist in jeder Beziehung einfach des Teufels!

Ich habe genug über den Einfluss des Geistes auf den Körper gesagt. Wie steht es mit dem Einfluss des Körpers auf den Geist? Wir haben alle erlebt, wie unsere Gedanken von unserer körperlichen Verfassung beeinflusst werden. Wenn der Körper sagt, es ist kalt, denken wir an Pullover. Wenn der Körper über Erschöpfung klagt, verordnet das Gehirn Ausruhen. Wenn der Magen sagt, er sei leer, wenden sich die Gedanken dem Essen zu. Der Haken ist, dass wir selten auf das hören, was der Körper sagt. Wenn wir zuhörten, wären wir Menschen nicht solche Nervenbündel, wären wir nicht eine so zornige, verwirrte Gesellschaft.

Wenn wir uns nur Zeit liessen, die Express-Briefe, die unser Körper sendet, zu lesen!

Credo

1. Der Mensch tritt durch seinen Körper in Erscheinung; der Körper ist der sichtbare Ausdruck des gesamten Menschen.

2. Geist und Körper stehen in dauernder gegenseitiger Wechselbeziehung, so dass, was vom inneren Selbst erfahren wird, sich im Körper voll auswirkt – und was vom Körper erfahren wird, das innere Selbst beeinflusst.

3. Ob die Gedanken und Gefühle rational oder irrational, positiv oder negativ, zerstreut oder konzentriert sind, angenommen oder verdrängt werden – der innere Zustand verkörpert sich im leiblichen Da-Sein. Er zeigt sich in der Haltung des Körpers, in der Art, wie er zentriert ist, in seinem Rhythmus, seinem Tempo, seinen Lauten, dem Gebrauch von Spannung und Energie, seiner Beziehung zum Raum und seiner Wandlungsfähigkeit. Diese Faktoren bestimmen die Ausdrucksweise des Körpers. Sie bedingen die Art der Bewegung und Fortbewegung.

4. Der Mensch erfährt die Aussenwelt durch seinen Körper. Die Sinne informieren ihn über das eigene Sein. Sie sagen dem Menschen, wie er sich fühlt, wer er ist und wo er ist. Durch sein Sehen, Hören, Riechen, Schmecken und Fühlen erfährt er die Welt.

5. In ihrer aufeinander einwirkenden Beziehung bilden Geist und Körper eine Einheit. Ihre Zusammenarbeit gewährleistet die Harmonie des Menschen.

Der Zusammenhang von Geist und Körper lässt annehmen, dass ein Mensch von beiden Seiten seines Wesens her beeinflusst werden kann. *Wenn die Psychoanalyse eine Änderung der seelischen Verfassung eines Menschen bewirken kann, müsste gleichzeitig eine entsprechende körperliche Veränderung vor sich gehen.*

Wenn die Tanztherapie eine Veränderung im Körperverhalten bewirken kann, müsste sie eine Veränderung der geistigen Haltung und der seelischen Verfassung zur Folge haben.

Beide Arbeitsweisen zielen darauf hin, den ganzen Menschen, das heisst, den Geist und den Körper zu erfassen. Wenn also der Psychotherapeut und der Tanztherapeut dazu gebracht werden könnten, zusammenzuarbeiten, könnte dem Patienten besser geholfen werden.

Weil ich mich immer intensiv mit dem Ausdruck des Körpers beschäftigte und weil mein Beruf die "Deutung" des Körpers nötig machte, so wie andere Menschen die Psyche zu deuten versuchen, ist es nur natürlich, dass ich das Gebiet der geistigen Verwirrung vom Blickpunkt der körperlichen Ausdrucksform her betrachte. Ich kann nur hoffen, dass die Wechselbeziehung meine Überzeugung bestätigt, dass der Körper den verwirrten Geist des psychotischen Menschen beeinflussen kann. Die Verwandlung der körperlichen Verzerrungen eines Patienten stellt eine grosse Herausforderung dar, aber ich muss versuchen, einem Körper die Möglichkeit wieder zu geben, normal leistungs- und funktionsfähig zu sein.

Und was verstehe ich unter einem "normalen" Körper? Was erwarte ich im Grunde genommen von einem Körper, den ich mit Tanz "behandle"? Wie sollte er aussehen, sich bewegen, sich fühlen? Ich muss mir über meine eigene Vorstellung von einem Körper in seiner idealsten Form klar werden. Ich brauche ein "Körperbild", das als Basis für eine vergleichende Bewertung dienen kann.

Ich stelle mir ein Wesen vor, das noch im Paradies ist, das in freudiger Bestätigung seiner selbst lebt, im Einklang mit seiner Geburt, seinem Leben und seinem Tod und das stolz ist über seine Fähigkeit, sein eigenes Bild über sein eigenes Leben hinaus weiter leben zu

Das Paradies

lassen. Es ist die Gestalt des Menschen, wie er in seinem vollständigen und vollkommenen Zustand sein und tätig sein sollte – voll Freude an seinem Atem, voll Glück an seiner Beweglichkeit, wunderbar positiv in seinem vollkommenen Einklang mit dem Dasein. Es ist eine organische Einheit, in der Geist und Körper so verschmelzen, dass der Gedanke Handlung und Handlung Gedanke wird. Dieses Wesen lebt in seinem optimalen Mittelpunkt. Es bewegt sich in einem ausgeglichenen Verhältnis zwischen Spannung und Entspannung. Sein Atem passt sich an und fliesst rhythmisch. Seine Körperhaltung ist ausgeglichen, gut zentriert, zur Veränderung bereit. Die Muskeln sind geschmeidig, die Bewegungen und der Energieverbrauch dem jeweiligen Bedürfnis entsprechend und das Verhältnis zum Raum spontan. Seine Sinne sind hell wach für all das von der Umwelt so verschwenderisch Dargebotene. In all seinen Möglichkeiten schwelgend, kann dieser Körper sich lang oder kurz, breit oder schmal, gross oder klein machen. Er kann gehen, laufen, springen, hüpfen, sich wenden. Er kann knien, kauern, sitzen, liegen. Er kann auf zwei Füssen oder auf einem Fuss oder auf dem Kopf stehen. Er fällt, klettert, schwimmt. Und all dieses Tun kann von verschiedener Qualität sein: stark oder weich, schwer oder leicht, aktiv oder passiv – und kann mit Vergnügen in jedem Tempo, vom langsamsten bis zum schnellsten, ausgeführt werden. Und diese ganze wunderbare Vielfalt kann grenzenlos verändert, umorganisiert werden, um jeglichen Wunsch des Menschen überall und jederzeit zu erfüllen.

Ein solcher Körper setzt seine Gefühle rückhaltlos in die entsprechenden körperlichen Ausdrucksformen um. Er schreit auf vor Freude, faucht vor Wut, lacht vor Lust, schlägt zu im Hass, errötet vor Scham, schluchzt im Kummer, entspannt sich in Zufriedenheit. Er krümmt sich vor Schmerz, fällt um vor Erschöpfung, stottert vor Aufregung, erstarrt in Furcht, zerfliesst in Liebe, ist zerrissen in Unentschlossenheit und in Verwirrung aufgelöst. Unaufhörlich stellt dieser ideale Körper deutlich seine Gefühle dar.

Jedesmal, wenn eine gefühlsmässige Reaktion zum vollen Ausdruck gekommen ist, erlangt der Idealkörper sein Gleichgewicht wieder. Er kehrt zu seinem Ausgangspunkt zurück, zu dem Ruhepunkt, der das volle, uneingeschränkte Potential zu neuer Erfahrung enthält. Hier kann jegliche Verzerrung oder Verkrampfung gelöst werden. Hier wird der Körper sicheren Boden finden, wenn er zu hoch geflogen ist, fliessend werden, wenn er erstarrt war, zusammengefügt, wenn er sich aufgelöst hatte, wiederbelebt, wenn seine Kraft erschöpft war. Wie ein Pendel kann dieses Wesen sich zwischen Reaktion auf die Umwelt und eigenständigem Handeln bewegen. Innerhalb dieses Stabilisierungsvorganges erlangt das Gefühl volle körperliche Ausdrucksmöglichkeit, das Idealwesen verkörpert seine Gefühle, sie haben ihren Lauf genommen, haben Gestalt angenommen. Es bleibt kein Rückstand, der zukünftige Ereignisse färben könnte.

Aber als ich meinen Körper und die Körper meiner Mitmenschen näher betrachtete, sah ich, wie weit entfernt diese von meinen Vorstellungen waren. Wo war die Schönheit geblieben, die Lust an der Veränderung, die Natürlichkeit, der glückliche Einklang? Wo halten wir unsere Gefühle versteckt? In welchem Schrank verbergen wir unsere Zärtlichkeit? Wo haben wir unsere Aggressionen vergraben? Warum sind wir so bedauernswert bewegungsarm? Warum so jämmerlich verklemmt? Was ist aus dem Einssein, dem harmonischen Zusammenklang geworden? Die Menschen auf der Strasse, auf den Bauernhöfen, in den Büros, die Nachbarstochter, die Hausfrau, die Chefs, der Durchschnittsmensch – Du und ich: was ist mit uns geschehen?

Gibt es grundsätzliche Ähnlichkeiten zwischen den Störungen in unseren Körpern und den Verzerrungen in den Körpern, die hinter den Mauern der psychiatrischen Kliniken verborgen sind? Kann man hier überhaupt vergleichen? Ist es ein gradmässig bedingter

Unterschied? Oder gibt es eine klare Demarkationslinie, die sichtbar, messbar und verständlich ist?

Vielleicht kann ein Blick auf meine Mitmenschen und mich selbst mir helfen, die Menschen auf der anderen Seite der Mauer besser zu verstehen.

Das unglückliche Vermächtnis

"Du solltest Dich schämen!"

Von wo wir auch hergekommen sein mögen – ob wir aus dem Wasser krabbelten, ob wir von den Bäumen sprangen, von einem Gott geschaffen wurden oder ob ein Storch uns in die Wiege legte – wir tragen das Vermächtnis unserer evolutionären Vergangenheit in uns. Obwohl wir alle durch das Urkonzept unserer Struktur vereint sind, bringt es die Spezie Mensch zustande, in einer bezaubernden Vielfalt von Farben, Formen, Grössen, Geisteskräften, Gefühlen und Verhaltensweisen auf dieser Erde zu erscheinen. Die mannigfaltigen Aspekte der Vererbung und Konfrontation mit unserer nächsten Umgebung schaffen ein einmaliges Individuum. Wie faszinierend ist es, zu wissen, dass jeder Mensch mit dem Potential auf diese Welt kommt, etwas Eigen-Artiges zu werden.

Soviel aber hängt davon ab, wie das Wesen Mensch auf dieser Erde empfangen wird. Ist das funkelnagelneue Körperchen willkommen? Wird es geliebt, geachtet? Oder fühlt es sich unerwünscht, abgelehnt, missachtet? Das emotionelle Klima, das die Kindheit jedes Einzelnen umgibt, scheint die Grundlage für sein Selbstbildnis zu schaffen. Wenn dieses schutzlose Wesen mit liebender Sorgfalt umhegt, wenn es mit Wärme und Respekt betreut wird, hat es alle Aussicht, Zeit seines Lebens gut Freund mit sich selbst zu sein. Gerade weil es sich selber gern hat, kann es anderen Liebe und Vertrauen entgegen bringen. Wenn es aber in einem Klima der Gleichgültigkeit oder gar Ablehnung aufwachsen muss, ist die Grundlage für spätere Missachtung seiner selbst und seiner Umwelt gegeben.

Unser Körper hat so unendlich viele Möglichkeiten, Freude zu geben und zu empfangen. Es ist tragisch, dass er von den ihn jahrhundertelang beherrschenden Moralgesetzen verunglimpft wurde, indem diese ihn als "sündhaft, schmutzig, böse, gefährlich" erklärten, ihn als etwas "Unappetitliches", das man verbergen müsse, bezeichneten. Die Einengung unserer natürlichen Freude an unserem körperlichen Dasein beginnt schon sehr früh im Leben. "Schrei doch nicht immer!" – "Hör mit dem blöden Gekicher auf!" – "Sitz still und sei ruhig!" – "Fingere nicht immer an dir herum, sonst muss ich dir die Hände zusammenbinden!" – "Komm vom Baum herunter, ehe du dir den Hals brichst!" – "Rühr mich nicht an, du bist schmutzig!" – "Hör mit dieser dummen Fragerei auf!" Und der letzte, vernichtende Hieb: "Du solltest dich schämen!". – In dem verzweifelten Bemühen, sich einzufügen, beginnt das Kind, seine Gefühle abzuwägen, zurück zu halten, sein Tun zu zensurieren und sein spontanes, natürliches Verhalten, welches im Widerspruch zu den geltenden Normen steht, schliesslich zu unterdrücken.

In jedem Lebensabschnitt gehören wir einer Gemeinschaft an. Diese aber kann nur bestehen, wenn der Einzelne gewisse Spielregeln, Verhaltensnormen akzeptiert. Zusätzlich aber zu diesen lebensnotwendigen Grundgesetzen verlangen wir ein "gesellschaftliches Benehmen", welches mit dem Überleben der Gesellschaft und des Einzelnen nicht das Geringste zu tun hat. Warum verlangt "gesellschaftliches Benehmen" so viel Unnatürlichkeit? Warum ist das affektierte Flüstern anziehend, warum gehört zu einem kultivierten Benehmen ein Minimum an Bewegung? Müssen wir, um in der Gesellschaft bestehen zu können, unsere körperliche Ausdrucksweise unterdrücken, verändern oder sie uns versagen? Müssen wir unsere Gefühle verbergen und ein grosses Leid mit einem tapferen Lächeln überdecken oder eine herrliche Freude hinter einem ausdruckslosen, gefassten Antlitz verstecken? Wäre es uns doch vergönnt, zu zeigen, wie uns wirklich zumute ist!

Von wo wir immer herkommen **S. 52 und 53: Geliebt – ungeliebt**

Wenn unser Körper doch nicht lügen, nichts vortäuschen, sich nicht so falsch verhalten müsste! Wenn wir doch die Freiheit hätten, Freude an uns selbst zu haben – so wie wir wirklich sind!

Dem Körper wird nicht nur vorgeschrieben, wie er sich verhalten soll, es werden ihm auch Anweisungen gegeben, wie er auszusehen hat. Und der "In-look" verändert sich mit verwirrender Schnelligkeit! Zu allen Zeiten ist es uns gelungen, eine erstaunliche Vielfalt modischer Attrappen zu erfinden, mit deren Hilfe wir verschiedene Teile der menschlichen Gestalt verbergen, tarnen, herausstellen oder zu idealisieren versuchen: Wir haben ein ausgesprochenes Talent, Polster, Drahtgestelle, Stäbchen, Korsetts, Garnituren zu erfinden – alles, um unsere naturgegebenen Konturen zu verändern. Im Laufe der Geschichte ist die weibliche Taille den Körper hinauf- und hinuntergewandert. Der Busen wurde verborgen oder gezeigt, das Hinterteil streckte sich alarmierend heraus oder wurde verflacht. Haut wurde entblösst oder bedeckt, Gesichter werden mit Farbe und Stift oder mit dem Geschick des Chirurgen verändert, Füsse auf Stilett-Absätze gestellt, Hälse von engen Kragen gewürgt. Schulterlanges Haar, einst stolzer Hauptschmuck, erregt nun vielfach Abscheu. Und ist es nicht verwirrend, dass der Bart, der vor nicht allzu langer Zeit einem Mann Würde verlieh, in wenigen Jahren zum Ausdruckssymbol "entarteter" Jugend wurde?

Vielleicht war es notwendig, unsere Gefühle weitgehend auszuschalten, um die gewaltigen wissenschaftlichen und technischen Fortschritte zu erzielen, welche unser Leben während der vergangenen Jahrzehnte so einschneidend verändert haben. Hier konnten nur geistiges Bemühen und intellektuelles Wirken zum Erfolg führen – Gefühle standen diesem Streben nach Fortschritt vielfach im Wege. Der Körper wurde weniger und weniger gebraucht und ist in der Folge weich und ausdruckslos geworden. Flugzeuge und Autos "rennen" für uns, Maschinen arbeiten für uns, Heizung und Klimaanlage nehmen uns Schwitzen und Frieren weg, Wasser fliesst aus Billionen von Hähnen, mit einem Schalterdruck wird die Nacht zum Tag und der Tag zur Nacht. Perfektionierte Waffensysteme nehmen uns das Kämpfen ab, die Faust wird überflüssig, ein Knopfdruck erreicht millionenfach stärkere Wirkung. Nach einer langen Zeit geistigen Bemühens ist es dem Menschen gelungen, den Körper mit seinen fünf Sinnen zu vergessen. Durch diese Brachlegung hat der Körper auch die Möglichkeit verloren, seine natürlichen Aggressionen zu leben. Aber der Trieb steckt immer noch in jedem von uns. Durch den Zwang, die Aggression in uns zu negieren, nicht schreien, nicht stampfen, nicht jubeln, nicht wütend sein zu dürfen, "dank" Erziehung und Bildung der Möglichkeit beraubt, unseren Gefühlen Ausdruck zu geben, stauen sie sich bis zur Unerträglichkeit. Täglich können wir in der Zeitung lesen, wohin uns das, zu welchen Dramen dies führen kann.

Die Verdrängung unserer Gefühle kann aber auch in einer anderen Art und Weise zum Ausdruck kommen.
Aus Angst vor Gefühlen überhaupt – aus Angst vor Verletzung, aus Angst, von unseren Gefühlen überrannt zu werden, verschliessen wir uns jeder neuen Erfahrung. Wir riegeln uns ab, wir steigen aus! Wir werden Zuschauer und sind so schliesslich zu Betrachtern fremden Lebens geworden. Aus Angst vor dem eigenen Leben begnügen wir uns mit Schilderungen – wir erleben nicht mehr, wir vernehmen nur und erst noch aus zweiter Hand. Täglich haben wir Gelegenheit, uns von Helden und Heldinnen im Fernsehen zu Tränen rühren zu lassen, der Sportfan kann sich an der Vitalität und Beweglichkeit der Leichtathleten berauschen, kann, bequem im Sessel sitzend, "mitlaufen". Während eines Abends im Theater können wir das Leben eines Märtyrers oder eines Schurken mit-

Farbenassortiment

vollziehen, können die von den Schauspielern dargestellte Aggression und Kraft bewundern, die wir in uns selbst unterdrücken. Wenn wir die im Scheinwerferlicht strahlende Schönheit eines Ballets anschauen, können wir uns mit den vorbildlichen Körpern der Tänzer und Tänzerinnen identifizieren, mit ihren schönen, abgewogenen Bewegungen, die uns verloren gegangen sind. In weichem Komfort ruhend, sehen wir zu, wie andere für uns leiden, lieben, hassen, vernichten, weinen, lachen, leben und sterben. Wie Götzenbilder sitzen wir da und der Grad unserer Beteiligung zeigt sich höchstens an der Stärke und Dauer unseres Beifalls . . . .

Hier möchte ich einen Gedanken aufnehmen, der mich beschäftigt, seit ich mit Menschen tanze. Trotz unserer grossen Verschiedenheit gibt es ein Wissen, das uns allen gemein ist: Irgend einmal, früher, später oder jetzt, steht der Mensch dem Tod gegenüber. Wir wissen, dass der Körper in seiner gegenwärtigen Form nicht mehr sein wird, aber wir wissen nichts über das Verhalten unserer Seele. Lebt sie weiter? Formt sie sich ein anderes Gehäuse? Geht sie auf eine Wanderung? Nimmt ein Gott sie auf? Schwebt sie über den Wassern? Sitzt sie in einer Blume?

Die meisten von uns verdrängen den Gedanken an einen endgültigen Schluss, versuchen, das "Drama" hinauszuschieben, leben in grosser Angst und Unsicherheit vor dieser Veränderung und flüchten vor diesem Wissen in die Fantasie. In jeder Stellung, in jeder Bewegung erkennt man Angst und Panik vor der Unsicherheit des eigenen Schicksals.

Ich glaube, dass wir unser Leben zu gleicher Zeit auf zwei Ebenen leben: In der Endlichkeit und in der Unendlichkeit unseres Daseins. Wenn es uns gelingt, diese beiden Seiten unseres Wesens ineinander zu integrieren, einen Hauch von Ewigkeit in unser zeitlich begrenztes Dasein einzubringen – mit beiden Füssen in unserer Erde verwurzelt dennoch zu träumen, dann könnten wir ein Ganzes werden, erhielten die Fähigkeit, ganzheitlich zu leben. Wir können Ja sagen – und nur wer wirklich und ganz JA sagen kann zum Dasein – versteht den Tod.

Ich wünschte mir so sehr, dass meine Patienten sich nicht in die eine oder andere Welt flüchten müssten, sich nicht spezialisieren, nicht ein-seitig würden. Vielleicht scheinen meine Ansichten übertrieben, meine Schilderungen zu sehr vereinfacht – doch diese Gedanken kommen beim Tanzen – der tanzende Mensch ist immer auf beiden Ebenen daheim, er schwebt – träumt, aber er träumt auf der Erde.

Wenn ich tanze oder tanzenden Menschen zuschaue, und nachher im Alltag wieder "jedermann" begegne, wird mir immer wieder bewusst, dass man kaum je Menschen begegnet, die ausreichend Gemütsbewegungen ausdrücken. Selten scheint ein Körper geachtet, geliebt, genossen zu werden. Im besten Fall ist er sauber. Im schlimmsten Fall ist er zum Gegenstand von Angst und Scham geworden. Verloren ist die Freiheit und die Freude, sich mitzuteilen. Die Einheit Geist-Körper steht auf schwankendem Boden.
Im grossen und ganzen haben wir es erreicht, den Körper seines natürlichen Rechtes zu berauben.

Der letzte Schrei

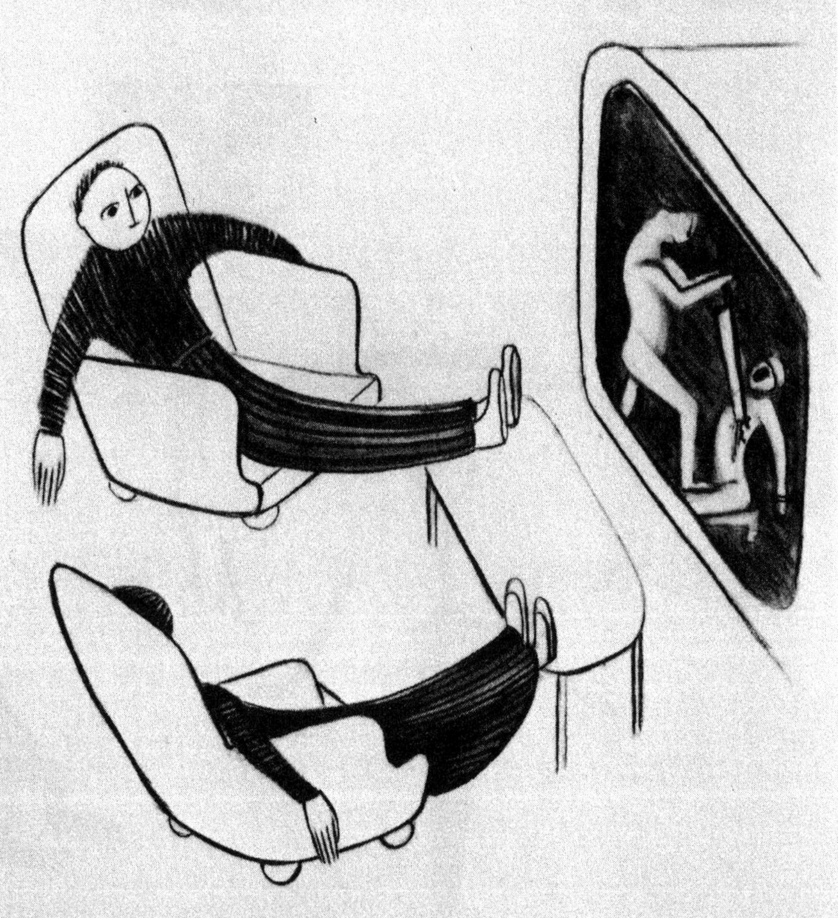

S. 58: Der Zuschauer
S. 59: Schau, wie die Menschen gehen

Die stumme Botschaft

Der Körper ist eine Klatschbase

Hineingeworfen in den Wirbel universellen Geschehens ist das Individuum gleichzeitig dem Einfluss seiner eigenen, spezifischen Welt ausgesetzt. Die Vielfalt seiner Begegnungen und Konfrontationen, die eigene Wahl und Entscheidung, die Einmaligkeit seiner Reaktionen, seiner Handlungen, machen den Menschen zu dem, was er ist – er steht allein und einzigartig in einem gemeinschaftlichen Dasein.

Wie unvorstellbar ist doch die Tatsache, dass sich unter den Milliarden von Menschen nicht zwei gleichen, nicht im Aussehen und schon gar nicht in ihrem Verhalten. Wie gehen Menschen, stehen und sitzen sie? Wie kaufen sie ein, sprechen, warten, weinen, lachen, lieben und hassen sie? Wie nehmen und wie geben sie? Wie sind sie ängstlich, neugierig, gierig, eifersüchtig? Die sorgfältige Beobachtung zeigt, dass jeder Mann, jede Frau, jedes Kind jegliche Erfahrung mit einer ihm eigenen Gefühlsreaktion beantwortet.

Jeder Körper, den ich betrachte, scheint seine eigene Botschaft auszustrahlen. Es ist immer eine Aussage des Ichs, die durch den Körper zum Ausdruck kommt. Durch diese körperliche Darstellung kann man erfühlen, ob das Wesen eines Menschen grundlegend offen oder verschlossen, aktiv oder passiv, aggressiv oder defensiv ist. Man spürt Protest, Einfügung, Ablehnung, Bejahung oder Gleichgültigkeit. Der Körper kann ein starkes Selbstbewusstsein oder einen Mangel an Selbstachtung ausdrücken. Ob der Körper geliebt, gehasst oder als selbstverständlich hingenommen wird – die dominierende Haltung des Menschen seinem Körper gegenüber beeinflusst seine Beziehung zur Umwelt. Im Verhältnis zum eigenen Körper wird das Verhältnis zur Umwelt bestimmt.

Wir alle reagieren gefühlsmässig auf die stummen Botschaften unserer Mitmenschen. Wir erleben Liebe auf den ersten Blick – oder augenblickliche Antipathie. Manchmal haben wir das Gefühl einer so tiefliegenden Vertrautheit mit einem völlig Fremden, dass uns die Ahnung packt, wir hätten ihn schon immer gekannt, wir wären ihm immer schon verbunden gewesen. Ein jeder von uns hat schon positive und negative "Sendungen" empfangen. Wir alle kennen Menschen, von denen soviel Wärme ausgeht, dass sich die trübste Stimmung verflüchtigt. Und den Einen unter uns, dessen finstere Miene alles Lachen zum Schweigen bringt, jede Bewegung erstarren lässt! Und dann: Die Familie am Esstisch! Wie eine Lampe hängt die dieser Lebensgemeinschaft eigene Atmosphäre über der Mahlzeit. Sie mag förmlich, bedrückend, freundlich, steif und streng, lärmig oder stumm sein. Das Essen mag in Angst und Unverdaulichkeit, mit Fresslust oder Appetitlosigkeit, in Verstocktheit, Freude oder Freundschaft zerkaut, genossen oder verzehrt werden. Setzt die Mutter beim Decken des Tisches mit Messern und Gabeln doch auch gleich die Stimmung hin. Und der Vater, der sich am angestammten Platz oben am Tisch geräuschvoll niederlässt, nimmt er teil am Mahl oder isoliert er sich hinter seiner Zeitung? Wer immer die Familien-Gefühle bei Tisch bestimmt, es besteht kein Zweifel darüber, dass sie ansteckend auf alle Versammelten wirken. Es ist weder Zauberei noch Hexerei noch Schwarze Magie, dass wir so ohne weiteres die Sendung anderer verstehen. Wir reagieren lediglich auf das, was dieses Körper-Wesen ausdrückt.

Obwohl eine Gruppe von Menschen sich in der gleichen Situation befinden mag – keiner wird genau die gleiche körperliche Reaktion haben wie der andere. In der Angst rennt

einer davon, ein anderer bricht zusammen, während ein Dritter angreift. Ein Wütender mag ein finsteres Gesicht machen, die Zähne zeigen, die Augen verdrehen oder lächeln. Er kann Gift spritzen, zuschlagen oder trotzen. Deprimierte Menschen können ihre Verlassenheit durch ein "In-die-Leere-Starren", durch regloses Schweigen oder durch pausenloses Reden demonstrieren, sie können ihren Körper zusammen fallen lassen oder ihn versteifen. Während einer zu Hause für sich trauert, stürzt ein anderer hinaus und kauft sich neue Kleider. Eine glückliche Stimmung kann in einem Ausbruch von Tränen oder von Lachen, in Mitteilsamkeit oder in stillem Für-sich-Behalten, in aufgeregter Bewegung oder durch Stillsein zum Ausdruck kommen.

Der Körper sendet aber auch unsere Konflikte in die Welt hinaus. Wie oft stehen wir an einem Scheideweg unserer Gefühle, hin- und hergerissen zwischen Pflicht und Vergnügen, Liebe und Hass, Sollen oder Nicht-Sollen, Recht und Unrecht. Wir verbalisieren sehr treffend unsere Konfliktsituation: "Ich schwanke noch" – "Ich bin geteilter Meinung" – "Ich bin im Zwiespalt" – "Ich bin am Hang". Wie dramatisiert nun der Körper diese Konflikte?

Wir schauen einem Knaben beim Ballspiel mit seinen Freunden zu, wenn die Mutter das Fenster aufreisst und ruft: "Komm sofort nach Hause!" Stocksteif steht er da, der Konflikt zwischen Gehorsam und Spiel hat ihn augenblicklich aller Bewegung beraubt. Das Auftauen seines Körpers wird von einem verzweifelten Stöhnen begleitet, widerwillig, mit der Behendigkeit einer Schnecke macht er sich auf den Weg. Die bleischweren Füsse ziehen einen Körper, der im hoffnungslosen Versuch weiter mit seinen Freunden zu spielen in die entgegengesetzte Richtung strebt. Er ist in zwei Hälften gespalten, bis er plötzlich hört: "Mach schnell, die Suppe wird kalt!" Augenblicklich schiesst er los, alle Teile seines Seins in voller Übereinstimmung mit der Suppe und dem Gehorsam.

Wie oft erleben wir selber Augenblicke, während denen alles auf einmal geschieht! Das Telefon läutet und während die Mutter spricht, beginnen die Kinder wie auf Kommando zu brüllen und zu streiten, ein Vertreter klingelt an der Türe und auf dem Herd kocht die Milch über. Höflichkeit, Wut, Besorgnis und Verzweiflung prallen in einem Körper aufeinander: Das Gesicht erstarrt in einem leeren Lächeln, die linke Hand umklammert den Hörer, der rechte Arm fuchtelt wild in Richtung Kinder, ein Bein versucht mit einem Riesenschritt die Tür zu erreichen, das andere drängt zur Küche. Der ganze, in alle Himmelsrichtungen strebende Körper erstarrt in seiner Zerrissenheit und nun brennt auch noch die Sicherung durch! Lassen wir die Mutter mit ihrem versteinerten Körper dort im Dunkeln, irgendwie wird sie es schon schaffen – sie schafft es immer.

Die Tragikomödie anlässlich einer Party beginnt, wenn die Gäste plötzlich merken, dass es drei Uhr morgens ist. Im gemeinsamen Bestreben, den Anlass zu beenden, springen alle zugleich auf. Es beginnt der Wettlauf zur Türe . . . und da stehen sie dann in der eisigen Kälte. Der Kampf zwischen Gehen und Bleiben beginnt. Das Gewicht wird von einem Fuss auf den anderen verlagert, ein nervöser Tanz zwischen Für und Wider. Mit der geringsten Bewegung zum Gehen nimmt die Lautstärke des Gesprochenen, das Ausmass und die Geschwindigkeit der Gesten und das Lächeln an Breite zu. Jedesmal, wenn die Verabschiedung missglückt, beginnt der Vorgang von neuem . . . .

Häufig überfallen zwei Gefühle gleicher Intensität den Körper gleichzeitig. Dementsprechend zeigt er ein zwiespältiges, zweiseitiges Bild: Ein stirnrunzelnd lächelndes Gesicht, ein gefasst nervöser Körper, annehmend abweisende Bewegungen, eine zitternd aggres-

Zwei Familien bei Tisch

sive Stimme. All dies sind nur einige körperliche Anzeichen dafür, dass gegensätzliche Gefühle gleichzeitig im selben Körper wohnen.
Die nachgiebige Mutter muss schliesslich ihr geliebtes Kind bestrafen. Wie Liebe mit Strenge kämpft, sieht man an ihrem kummervollen Gesicht, hört man aus ihrer entschuldigenden Stimme, die sich gegen die von ihren Händen zu ergreifenden Strafmassnahmen sträubt – ist es ein Klaps oder eine Liebkosung?
Oder man denke an einen Empfang bei einer Hochzeit. Die beste Freundin der Familie umarmt die Braut mit ehrlicher Herzlichkeit, geht dann unbeschwert weiter, unterhält sich freundlichst mit den anderen Gästen. In ihrer ganzen Haltung liegt lebhafte Anteilnahme am Glück der Menschen, die sie liebt. Aber – fast unsichtbar – schlägt eine geballte Faust ein wildes Staccato auf einen Schenkel – Wut signalisierend, Wut, die nach einer heftigen Auseinandersetzung mit ihrem Mann noch nicht verdaut ist. Liebe und Ärger – beide wollen körperlich zum Ausdruck kommen.

Man könnte meinen, dass Zeichen zwiespältiger Gefühle in einem Körper leicht zu erkennen sind. Aber wenn drei oder vier oder mehr Gefühle im Widerspruch zueinander liegen, wird es beinahe unmöglich, herauszufinden, woraus sich der jeweilige Ausdruck zusammensetzt. Wenn so viele Gefühle in einem Körper sich äussern wollen, erscheint es einfacher, alle ausser einem zu eliminieren. So zeigen viele Menschen der Umwelt ein ganz einseitiges Bild von sich. Was nicht in den gegenwärtigen Rahmen passt, wird weggelassen. Oft sehen wir eine Haltung, die zu einer bestimmten Zeit dieses Lebens einem bestimmten Zweck gedient haben mag. Oft auch formt sich ein Ideal in uns, dem wir nachzuleben versuchen. Wir möchten uns benehmen wie Vater oder Mutter oder aber gerade nicht so! Eine Tante kann uns ihr Bild vermachen, ein Lehrer, ein Filmstar.

Wir alle kennen die "wandelnde Entschuldigung", den "gebeugten Lastenträger", die rechthaberische Vatergestalt, die besorgte Mutterfigur. Das charmante Kind mit ergrautem Haar, die Dulderin, den Snob, den "Möchtegernhelden", den "Kerl". –

Aber was der vereinfachte, einseitige Ausdruck auch darstellen mag, der Mensch ist nicht glücklich mit seiner einseitigen Aussage. Wir sind vielseitig und kompliziert. Wir sind böse und gut, gescheit und dumm, viel Zärtlichkeit ist in uns und viel Grobheit. Die Unterdrückung der Gefühle, die nicht in unser Idealbild passen, kann nicht die Antwort sein. Wir müssen uns unserer Gefühle bewusst werden, erst dann verfügen sie nicht mehr über uns, erst dann können wir entscheiden, welche wir leben wollen.

Welche Rolle ein Mensch auch spielt, es ist erstaunlich zu sehen, mit welch grossem Talent für treffende Charakterisierung sein Körper ihn unterstützt.
Dieses Rollenspiel im Drama des Lebens bleibt jedoch nicht auf uns als Einzelwesen beschränkt. Jede Gruppierung von Menschen innerhalb unserer Gesellschaft scheint eine gemeinsame, körperliche Front zu bilden, von der die Rolle wiedergespiegelt wird, zu deren Darstellung die Menschen sich zusammen gefunden haben. Leicht erkennbar ist die vornehme Eleganz der "beautiful people", die bunte Unordentlichkeit der Hippies, die steife Autorität des Militärs, die emsige Geschäftigkeit eifriger Vereinsdamen, die Hass-Personifizierung der Revolutionäre. Und jedes Benehmen einer Gruppe kann abstrahiert und vereinfacht zur symbolischen Geste werden: Die erhobene Faust der schwarzen Militanten, das überhebliche Hochwerfen des Armes beim Faschisten-Gruss, die fromme Demut des Kreuz-Zeichens und die von zwei Fingern gebildete Friedensbotschaft.

Die Mehrzahl von uns ist fähig, Lösungen für die unablässigen Konflikte, mit denen uns das Leben bombardiert, zu finden. Eine unbestimmte Lage mag sich mit der Zeit von

selbst klären, aber im Idealfall treffen wir selber unsere Entscheidungen. Dieser so gewonnene Standpunkt ermöglicht es uns auch, die Verantwortung für die schliesslich von uns gewählten Handlungen zu tragen. Ist die Entscheidung einmal getroffen, hört das passive Schwanken zwischen zwei Positionen auf. Gewöhnlich gewinnen wir in dem Augenblick, in dem ein Konflikt gelöst wurde, unser funktionelles Gleichgewicht zurück.
Einige widersprüchliche Gefühle können ein Leben lang andauern. Was die Ursache auch sein mag, der Körper weist auf das chronische Problem hin. Wie gut wir uns auch angepasst haben, ich glaube, jeder Einzelne von uns trägt bis zu einem gewissen Grad die Zeichen ungelöster Konflikte mit sich herum. Der Körper mag leicht zurücklehnen, als ginge er jemandem aus dem Wege, oder sich in einer Haltung ständiger Herausforderung vorneigen. Er mag sich mit einer andauernd herabgezogenen Haltung der Schwerkraft überlassen oder der Annäherung an den Boden widerstreben und sich immer höher strekken. Er mag langsam und bewusst die Strasse des Lebens entlang schlendern oder im Überschwang auf ihr dahintollen. Im einzelnen sehen wir hochgezogene Schultern, einen herausgedrückten Brustkorb, einen geneigten Kopf, gekrümmte Rücken, geballte Fäuste oder zurückgedrängte Hüften, zusammengepresste Knie oder . . . . oder . . . . oder . . . . Füsse können schleifen oder springen, auf Eiern oder auf Wolken gehen oder durch Schlamm waten. Es gibt Menschen, die mit überkreuzten Füssen die Knie gegeneinander schlagen, die mit Zehen oder Fingern trommeln, es gibt die Haarausraufer, die Kratzer, die Reiber, die Zuckenden, die Schreier und die Flüsterer.

Jeder zur Gewohnheit gewordene Ausdruck eines Konflikts stört die zweckmässige Funktion des Körpers. Laufen mit zurückgelehntem Oberkörper ist schwierig, mit nach hinten gedrängten Hüften wird ein sexuelles Erlebnis keine Erfüllung finden, mit einem verkrampften, steifen Körper lässt sich nicht gut kämpfen, nicht arbeiten, kann man sich nicht mit einem Freund unterhalten. Mit geschlossenen Händen können wir nicht geben und mit einer Faust nicht streicheln. Wir können mit einer zugeschnürten Kehle nicht sprechen, rufen oder singen. Ruhe ist unmöglich, wenn wir zucken, reiben oder kratzen.

Gestörte Gefühle, die so im Körper fixiert sind, vermindern und hemmen nicht nur die körperliche Fähigkeit der freien Bewegung; sie färben auch jede neue Begegnung mit dem Leben. Alle zukünftigen Erfahrungen werden von dem Gefühl beeinflusst, das ursprünglich die Abweichung des Körpers von der funktionellen Norm verursachte. Mit hochgezogenen Schultern reagieren wir auf jede Situation mit dem Gefühl, welches diese hochgezogenen Schultern eben ausdrücken. Mit fest verschränkten Armen erfahren wir das Leben "fest verschränkt". Wir sind am natürlichen und unmittelbaren Erleben verhindert, unsere Erwartungen sind fixiert.

Wir hemmen, tarnen, bagatellisieren, übertreiben und vertuschen unsere Gefühle auf so vielerlei Arten, dass es nicht immer leicht fällt, die Körpersprache eines Menschen zu entziffern.

Alle diese Gedanken sind mir während der Beschäftigung mit dem Thema "Der Körper" wieder bewusst geworden, haben sich wieder gerührt, in meiner Zeit und in meiner Welt existierend – in der Vergangenheit verankert, um die Zukunft besorgt, die Gegenwart verschwendend. – Wie scharf sticht dieses Bild von meiner Vorstellung einer Idealform ab, die begabt und fähig wäre, die negativen Erfahrungen der Vergangenheit so zu verarbeiten, dass sie die Erwartung der Zukunft nicht belasten und die aktive Beteiligung an der Gegenwart nicht stören würde.

Es ist für diese Menschen

Bis jetzt haben wir uns nur die Körper der Menschen angesehen, die irgendwie funktionsfähig sind, manche besser, manche schlechter. Aber sie sind die Glücklichen, die wir als geistig gesund bezeichnen. Wie steht es nun mit den anderen? Unsere Gesellschaft nennt einen Menschen "normal", wenn er sich ihren Gesetzen und Forderungen anpassen kann, wenn er grundsätzlich so fühlt und sich so verhält wie die Mehrzahl. Aber von Zeit zu Zeit mag sich ein Mensch seine ganz private Welt mit ihren eigenen Regeln und Bewohnern schaffen. Dieser Mensch hat s e i n e Zeit, s e i n e n Raum, s e i n e Gebräuche, Manieren und Empfindungen. Er hat kein Interesse an dem, was wir "Wirklichkeit" nennen und wir anderen Erdlinge können sein Fantasiereich nicht ohne weiteres betreten. In Anbetracht derartiger Abweichungen von der Norm nehmen wir an, dass dieser Mensch in einer Welt verloren ist, die aus den Störungen seiner Gefühlswelt entstand. Bis heute haben wir keine andere Lösung für dieses Problem gefunden, als ihn aus der Gesellschaft zu entfernen. Dort, wohin wir ihn absondern, hoffen wir ihm verständlich zu machen, dass die Wirklichkeit, der er entfloh, gemeistert, herausgefordert oder sogar genossen werden kann. Und während wir uns bemühen, ihn zu uns zurück zu lokken, nennen wir ihn "Patient". Wie ungern habe ich dieses Etikett! Für mich ist er weniger ein Fall von Geistesgestörtheit als vielmehr ein faszinierender Fremder. Diese Einstellung verhindert, dass ich ihn für krank halte. Sie erkennt lediglich, dass er anders, dass er seltsam ist. Wir mögen Schwierigkeiten haben, uns gegenseitig verständlich zu machen, aber ich bin entschlossen, seine Sprache und seine Gebräuche zu erlernen und gäbe alles in der Welt darum, zu erfahren, von wem sein Land beherrscht wird. Mit dieser Einstellung muss ich ihn weder fürchten noch bemitleiden oder mich zu ihm herablassen. Ich kann unserem "Aus-länder" mit voller Achtung vor seiner Einzigartigkeit begegnen.

Wer sie auch sein mögen – diesen andersartigen Menschen ist diese Diskussion mit all meiner Liebe und meinem Respekt gewidmet.

Die Urfreude

Wir nähern uns dem Tanz

Mary

Die unerbittliche Wiederholung der bizarren Haltungen und Bewegungen, die der Körper eines psychotischen Menschen zeigt, ist eine unheimliche Erscheinung. Um Vertrauen zu gewinnen, versuche ich, mich in diese seltsamen körperlichen Ausdrucksformen hinein zu versetzen. Ich verbünde meinen Körper mit dem des Patienten. Wenn ich versuche, seine Art des Ausdrucks zu übernehmen, kann ich die Gefühle, die diesem Ausdruck zu Grunde liegen, besser verstehen und der Patient seinerseits fühlt sich verstanden.

Mary war eine meiner ersten "Privat-Schülerinnen" im Spital. Sie war eine junge Schwarze, gross und gerade, mit einem gesunden Körper. Sie sprach nicht und niemand in der Klinik hatte sie je sprechen gehört. Das war auch nicht nötig – ihr Ausdruck liess niemanden im Zweifel darüber, dass sie mit Wut angefüllt war. Mary's rastloses Hin- und Herschreiten erzeugte den Eindruck, dass sie zwar wütend, aber methodisch die vierzig Fuss lange Entfernung von einer Wand zur anderen abmass. Ich versuchte, mich dem unabänderlichen Rhythmus ihrer Schritte, mich ihrer Stimmung anzugleichen. Unsere zornige Partnerschaft muss ein merkwürdiges Bild abgegeben haben. Mary hatte sehr lange Beine und konnte den Weg so rasch zurück legen, dass ich mir bei dem Versuch, Schritt zu halten, wie ein Hündchen vorkam, das seinem Herrn hinterherläuft.
Nachdem wir zwei Wochen lang so nebeneinander hergeschritten waren, veränderte ich meine Stellung etwas. Ich begann, der Faust meiner Partnerin während dem Auf- und Abgehen eine freundschaftliche, offene Hand entgegen zu strecken. Und so gingen wir wieder Woche für Woche jeden Tag eine halbe Stunde auf und ab .... Während dieser ganzen Zeit schien mir, als wüsste Mary nichts von meiner Existenz. Dann, eines Tages, mitten in unserem einsamen Pas de deux, geschah es! Ihr Arm schoss herüber, sie ergriff meine Hand. Ebenso plötzlich aber schleuderte sie sie wieder fort. Mit dieser flüchtigen Berührung begann Mary's langes Bemühen, ihrer Isolation zu entkommen. An einem Tag schien sie freundlicher, weicher, an einem andern schritt sie wieder unwillig und hart einher. Manchmal hielt sie meine Hand eine ganze Weile, ein anderes Mal liess sie mich allein mit meinem ausgestreckten Arm. Während dieser Zeit hatte sie mich nie auch nur mit einem Blick gestreift! Aber dann, eines Tages, wandte sie ihren nach innen gerichteten Blick nach aussen, ihre Augen trafen die meinen – wir sahen uns an. In diesem Augenblick spürte ich, dass sie meine Gegenwart nicht nur wahrnahm, sondern akzeptierte – sie schien sagen zu wollen: "ich hab dich gern bekommen, du musst dasselbe tun wie ich: Auf- und abgehen, Auf- und abgehen .... " –
Mit ihrem stillschweigenden Einverständnis konnte ich jetzt weiter gehen und allmählich ihrem zwangsmässigen Verhalten neue Dimensionen geben. Wir machten alle möglichen Arten und Unarten von Schritt-Spielen. Wer kann den Bauch herausstrecken beim Gehen? Wer kann mit weitaufgerissenem Mund oder zugekniffenen Lippen, wer kann auf allen Vieren und wer kann rückwärts gehen? Und wer am langsamsten? Wer muss überhaupt nicht mehr gehen müssen? Wer könnte stille stehen? Wenigstens zwischen durch? ––

Eines Morgens nach einer anstrengenden Stunde liessen wir uns beide schnaufend auf den Boden fallen und starrten uns an. Wir kamen nicht weiter. Meine stumme Partnerin blieb stumm. Diese undurchdringliche Stille wurde unerträglich. – "Weisst du Mary, ich fühle mich schrecklich einsam" .... Ihre grossen braunen Augen weiteten sich. Wie ein

Wunder kam mir die lang versunkene, rauhe Stimme entgegen: "Du einsam, Trudi?" – Und sie begann zu weinen.
Meine Arme überzogen sich mit Gänsehaut. Stille. Dann beugte ich mich vor und legte meinen Arm um sie: "Es ist gut so, Mary, also bis auf Morgen". – "Ja Trudi" – und Mary lächelte.

Es ist ein grosses Erlebnis, endlich nach monatelangem Arbeiten im Leeren in die Welt eines anderen eingelassen zu werden. Die scheinbar endlos lange Zeit unserer Arbeit zu zweit hatte Erfolg gezeigt. Von ihrem zwangshaften Verhalten befreit, ebenso von ihrem selbstauferlegten Schweigen, konnte Mary nun in eine meiner Gruppen aufgenommen werden.
Mary's Durchbruch wäre in einer Gruppe nicht so rasch möglich gewesen. Die Mehrzahl dieser Patienten, Menschen, die im eigenen Tun so verstrickt und gefangen sind, brauchen im wahrsten Sinne des Wortes einen Mit-Menschen, mit dem sie ihre Geheimnisse teilen können.

Wenn ich mit einem Menschen allein bin, kann ich ihm meine ganze Unterstützung schenken, nach der er so verzweifelt verlangt. Da er sehr wahrscheinlich die Umwelt als feindlich empfindet, fühlt er sich wohler zu zweit. Er muss sich nicht gegen viele Feinde behaupten, seine Gegner sind auf einen reduziert. Und was wichtig ist für ihn und die Gruppe: Er stört nicht mit seiner Zwangshandlung, er darf mit seinem Partner allein genau das tun, was seine Götter ihn zu tun zwingen. Es gibt aber auch Fälle, in denen die Zweisamkeit zu bedrohlich wird. Der Patient mag sich gefährlich exponiert fühlen, wenn er das einzige Objekt ist, auf das sich die ganze "Anteilnahme" des "Helfers" konzentriert.
Diese Stunden können leicht zu ernst und zu klinisch werden, sie werden allzu gerne zu einer "Behandlung", in welcher der Therapeut besorgt auf einen Fortschritt wartet.

Die Arbeit mit Gruppen macht mir die grösste Freude. Wie schön ist gerade in der Gruppe dieses Problem gelöst! Sie erlaubt dem Patienten, sich in einem ihm angemessenen Tempo zu entwickeln. Auf Anregungen, die der ganzen Klasse gegeben werden, muss er nicht sofort reagieren. Er kann seinen Versuch mitzumachen so lange aufschieben, bis er zum Mitmachen bereit ist. Auch sind in einer Gruppe selten alle Mitglieder zur selben Zeit bedrückt, apathisch oder aufgeregt, so dass die Arbeit von den verschiedenen Stimmungen her ständig neue Anregung findet. Die Gruppe stellt eine realistische Lebenssituation dar, die einzelnen Mitglieder werden im Zusammensein mit dem Therapeuten zu einer Familie, es entwickelt sich ein Zusammengehörigkeitsgefühl, es wächst eine Bereitschaft, an der Verantwortung mitzutragen. Mitpatienten muntern Passive zum Mitmachen auf, beruhigen Aufgeregte – ich brauche, obwohl ich oft mit sehr aufgebrachten Frauen und Männern arbeite, nie Angst zu haben – die Gruppe schützt mich.
Auch wird durch dieses Kollektiv der Therapeut von allen Patienten geteilt, die Gefahr zu enger Bindungen ist wesentlich verringert. In der Gruppe schliesslich erfährt der Einzelne durch die andern, dass er mit seinen Problemen nicht allein ist.

Vom Humor . . . . . .

Vor allem ermöglicht die Gruppe eine Atmosphäre des kindlichen Spiels. Wie schwer die einzelnen Fälle auch sein mögen, es ist immer mindestens einer da, der noch spielen und lachen kann. Humor basiert auf liebevollen Gefühlen, er setzt Liebe und Verständnis

Ich demonstriere mit Humor

voraus. Humor verletzt nie, er fühlt mit seinem Objekt. In der tristen Atmosphäre einer psychiatrischen Klinik ist es einfach herrlich, einer normal erwarteten Reaktion zu begegnen — dem Ausbruch spontanen Lachens. Wenn es mir gelingt, den Ausdruck eines Patienten humorvoll zu zeichnen, sieht sich der Patient einem liebevollen-belustigenden Bild seiner selbst gegenüber, es kränkt ihn nicht, weil er auf eine Weise dargestellt ist, die er annehmen kann.

. . . . . . zum Tanz!

Tanz richtet sich immer an die gesunde Seite der menschlichen Natur, die in jedem noch so kranken oder verwirrten Menschen vorhanden ist. Jeder von uns erinnert sich an eine Zeit, in welcher sein Körper noch im Urzustand seiner eigenen Freude lebte. Diese Urfreude an der Bewegung lebt im Tanz in der vielleicht intensivsten Form weiter. Jeder, der die Welt des Tanzes erlebt hat, weiss, wieviel Freude der Körper uns geben kann. Deshalb möchte ich das angeborene Talent des Körpers zur Freude an sich selbst aufleben lassen und versuchen, die seelischen Wunden zu heilen, indem ich dem Menschen ein neues und positives Gefühl für seinen eigenen Körper zu vermitteln versuche.

Die funktionellen Fähigkeiten des menschlichen Körpers sind beinahe unbegrenzt, wenn dieser Körper ohne Einmischung von aussen sich entwickeln darf. Wir alle tanzen vom Säuglingsalter an über die Kindheit ins Erwachsenen- bis ins Greisenalter hinein. Ich versuche, den Patienten die ganze Pallette dieser Entwicklung erleben zu lassen.
Wenn er kriecht, sich wälzt, kugelt, wiegt, wirft, nimmt, gibt, hopst, springt, hüpft, erfährt er sich, erfährt er die Welt. Während der Patient diese Urthemen der Bewegung ausführt, ahnt er vielleicht zum erstenmal, dass er ist und wer er ist. Er beginnt zu begreifen, dass dieser Körper, der kriecht, hopst, hüpft, läuft, lacht oder weint, ihm gehört. Ein vages Körperbild beginnt sich abzuzeichnen — wir nähern uns dem Tanz.

ELEMENTE DER BEWEGUNG

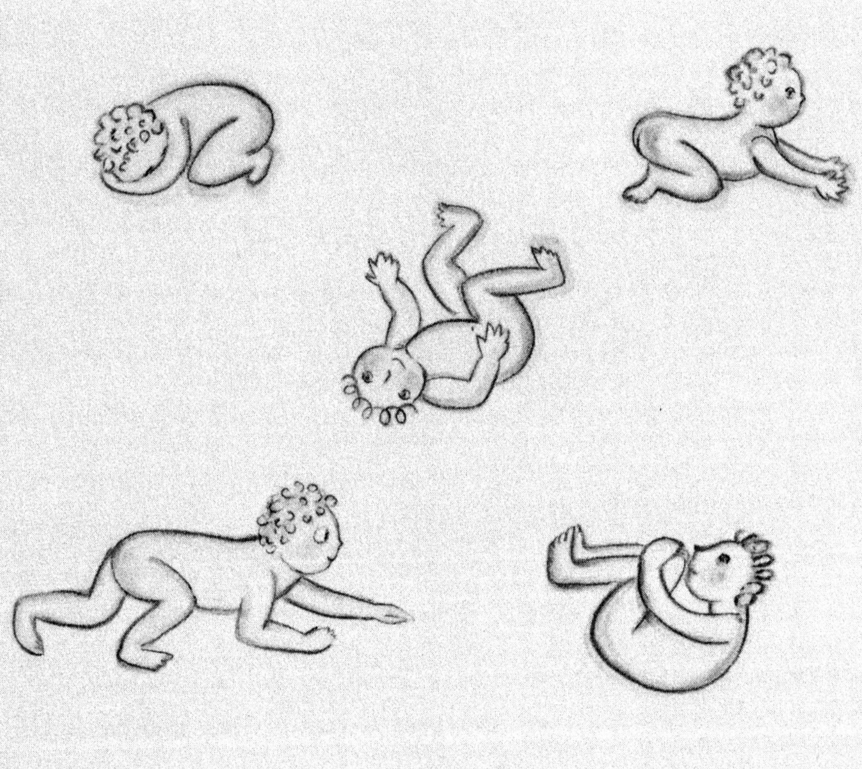

Atmung

Dürfen nur Tiere schnaufen?

Ich kann meine Überlegungen über die Elemente des Tanzes nicht beginnen, ohne die Seite des Daseins zu erwähnen, von der alles abhängt: Die Atmung! Der erste Atemzug führt den Menschen ins Leben ein. Sein letzter Atemzug begleitet ihn wieder hinaus. Und dazwischen beeinflusst die Art wie er lebt seinen Atem und die Art, wie er atmet, sein Leben.

Welch wunderbare Angelegenheit ist doch diese Atmung! Wenn wir Luft einatmen, sie wieder ausströmen lassen, wenn wir in rhythmischem Gleichgewicht nehmen und geben, dann sind wir im harmonischen Geschehen eingebettet, es ist uns wohl, wir sind im Gleichgewicht.

Wenn Einatmen und Ausatmen, Sich-mit-Luft-Anfüllen und -Wieder-Leeren gehemmt, unterdrückt oder gar verhindert wird, ist die rhythmische Einheit gestört, es ist uns nicht wohl – wir sind nicht im Gleichgewicht. Wir sind zu voll oder zu leer. Nicht nur geht der Atem Hand in Hand mit unseren Gefühlen und unserem Tun, er ist Ausdruck des Menschen an sich.

Atmungsprobleme nehmen vielfältige Formen an. Ich sehe, wie der Atem kurz und abgehackt eingezogen wird, so dass er sich wie kleine, zuckende Seufzer anhört, denen ein beinahe unmerkliches Aushauchen folgt. Viele Menschen nehmen nur soviel Luft ein, dass es gerade zum Weiterleben reicht. Andere wiederum füllen sich ihre Brust mit grossen Mengen Luft an und scheinen es oft recht schwer zu haben, das einmal Gesammelte wieder her zu geben.

Es gibt Menschen, die vergessen zu atmen, andere, deren fahle Hautfarbe davon erzählt, dass sie nie tief atmen und solche, deren mechanisierte Bewegungen zeigen, dass der lebensbringende Odem fehlt. Die Art und Weise, wie der Mensch tönt, klingt, singt, spricht, erzählt davon wie es ihm geht, was er erlebt und wie er erlebt. Atem ist hörbar, kann vom fast Lautlosen voll anschwellen zum Lautesten. Er kann sich in den höchsten und tiefsten Klangfarben bewegen, sich in langen oder kurzen Sequenzen entladen.

In ganz grossartiger Weise gehört er zum ganzmenschlichen Ausdruck, wenn wir zischen, grollen, gurgeln, jubeln, jauchzen, flüstern, schnauben, schnarchen, toben, jammern. Wenn wir uns vor Lachen schütteln oder wenn wir schluchzen. Was immer vom Menschen zum Ausdruck kommt, die Atmung hat fundamentalen Anteil an der Expressivität unseres Wesens.

Mit eigentlichen Wieder-Belebungs-Übungen versuche ich, Menschen, die das Atmen vergessen haben, wieder zum Leben zu bringen. Für die elementarste Übung lasse ich die Patienten auf dem Bauch liegen und beobachte ihre flache, kaum sichtbare Atmung. Ich folge mit meinen Händen, die ich ihnen sanft auf Rücken und Rippen lege, ihrem fast nicht spürbaren Rhythmus. Vorsichtig kann ich nach und nach die Ausatmung vertiefen, bis die Luft plötzlich in das entstehende Vakuum mit einem spontanen, erquickenden Sog einströmt.

In jeder nur erdenklichen Weise, mit jeder Atemübung – und es gibt derer unzählige – mit Hilfe von Vorstellung und Konfrontation versuche ich Atem bewusst erleben zu lassen. Nur so werden wir uns der atemlosen Gehetztheit, in der wir gefangen sind, bewusst. Wir erfahren durch unsere Atmung unsere Ängste und Schrecken, die Leere, das Zuviel, aber auch die Freude spendende Kraft.

Ich frage mich immer wieder, warum es anstössig erscheint, wenn der Körper ausser Atem gerät. Wir bemühen uns, die wogende Brust still zu legen, die entweichenden Töne zu unterdrücken, bis unser Gesicht rot anläuft und die Adern an den Schläfen bedrohlich anschwellen. Wollen wir denn beweisen, dass wir nicht aus der Fassung zu bringen sind, nie ausser Atem geraten? Dürfen nur Tiere nach Luft schnappen, dürfen nur Tiere schnaufen?

Wenn meine Schüler laufen und laufen und laufen, bis die Luft in erfrischenden Stössen in ihre Körper hinein- und hinausschiesst, welch herrlich rhythmisch-klangliche Erfahrung machen sie da! Wie wohl wird ihnen, wie rot werden ihre Backen! Es ist mir ein grosses Anliegen, gerade mit meinen Patienten die Einheit "Atmung-Gebärde-Bewegung-Ton-Klang-Stimme-Sprache" wieder zu finden. Ich denke an Stunden, in denen wir ein JA, ein NEIN, ein VIELLEICHT, ein AHHH! gestalteten. An Stunden, in welchen wir kämpften und arbeiteten, wo sich Tun mit Atmung in idealer Weise verbanden. Wo Handlung und Atmung Hand in Hand gehen, sammelt und entlädt sich Energie sinnvoll.

Wie ein Wunder klingen die langverhallten Stimmen meiner Patienten aus der Tiefe, und traumhaft flüssig werden ihre Bewegungen, wenn sie ganzheitlich erleben.

Was für eine grossartige Erfindung ist doch diese Atmung!

Haltung

Der Körper mit einem Standpunkt

Es ist bezeichnend, wie wir unseren Körper "herumtragen", wie wir auf dieser Erde stehen. Idealerweise wird die Art, wie wir uns halten, Bejahung unseres Wesens ausdrücken, sie realisiert eine funktionelle Haltung, eine neutrale, wache Stellung, aus der heraus wir reagieren und handeln. Es ist ein anpassungsfähiger, zu Wahl und Entscheidung bereiter Körper, ein Körper mit einem Standpunkt.

Ist die Haltung eines Menschen aufrecht, gebeugt, verkrümmt? Haftet der Körper am Boden oder schwebt er in den Wolken? Kann er auf seinen eigenen Beinen stehen? Muss er sich anlehnen? Fühlt er sich als ein Ganzes oder empfindet er sich in Stücken? Wirkt er unzusammenhängend? Welche Teile seines Selbst verbirgt er? Welche stellt er zur Schau?

Der ideale Körper steht aufrecht, vom Scheitel bis zur Sohle eine Senkrechte bildend. Die einzelnen Teile ordnen sich der Gesamtstruktur ein, die biegsame Wirbelsäule verleiht jeder Stellung Beweglichkeit, Unterstützung und Gleichgewicht. Das Gewicht verteilt sich dem Schwerpunkt entsprechend, ohne auf irgend einen Teil Druck auszuüben. Die inneren Organe – der Kreislauf, die Atmung, die Stimme – erfüllen ungehemmt und frei ihre Funktionen.
Eine solche Haltung ist mühelos. Keine Energie wird unnötig verschwendet.

In den Stunden, die wir der Haltung widmen, benütze ich die typischen, für diesen Zweck von Tänzern und Gymnasten entworfenen Übungen. Wir arbeiten am Boden, an der Wand, an der Stange, vor dem Spiegel, zu zweit, in der Gruppe, mit oder ohne Musik, mit unserer eigenen Stimme oder stumm.
Es gibt viele Möglichkeiten, an der aufrechten Haltung zu arbeiten, wobei der Übende erfahren kann, dass die innere Haltung sich in seiner äusseren Haltung offenbart.

Ich werde nicht versuchen, die Körper meiner Patienten zuallererst in harmonische Gradheit zu zwingen. Die Mehrzahl von ihnen meistert mit unerschöpflicher Erfindungsgabe die merkwürdigsten, seltsamsten, unfunktionellsten Stellungen. So fange ich dort an, wo sie stehen: mit der "schlechtesten Gangart". Wir werfen uns in alle möglichen recht übertriebenen Haltungen und Posen. Wir spazieren gravitätisch durch den Raum, gehen spreizfüssig, O-beinig oder X-beinig, wir watscheln und wippen und trippeln. Wir ziehen das Kreuz ein und strecken den Bauch heraus . . . . Wir zeigen einander verschiedene Stellungen, an denen wir uns orientieren können. Ich ahme ihren, sie ahmen meinen Körper und den der anderen nach: Die Ärzte in der Klinik, die Verwandten zu Hause, Tag- und Nachtschwestern – alle kommen sie an die Reihe, alle werden unter die Lupe genommen.
Oder ich stelle mich in einer schrecklich verkrampften, verzerrten Haltung vor meine Klasse und bitte jemanden, meinen Körper in Ordnung zu bringen, meine Haltung zu korrigieren. Ein Mutiger tritt vor. Er betrachtet kritisch meine grimassenhafte, bizarre Pose und fängt an meine Schultern herunter zu drücken, meine krummen Beine gerade-, den Oberkörper aufzustellen, das Becken zurück zu schieben, den Kopf... die Kniee . . .
– Ich mache es ihm nicht leicht, ich bleibe nur einen Moment in der korrigierten Stellung, um sofort in eine andere lustige Verzerrung zu wechseln. Bevor er jedoch verzweifelt, kommen fast immer andere Patienten meinem "Lehrer" zu Hilfe. Sie versuchen, mich nun vereint in eine bessere Form zu zwingen, indem sie an mir herumzerren, mich zurechtkneten, mich rütteln und drücken. Schliesslich gebe ich nach und stehe nach und nach so harmonisch da, wie ich nur kann.

Sie nicken dann, scheinen befriedigt mit sich und mit mir. Und jetzt geschieht das Unglaubliche! Verdreht, verzerrt, verkrampft gehen sie stolz auf ihre Plätze zurück. Wie lustig! Wo blieb ihr Körperbild? Sie sahen, dass mein Körper nicht in Ordnung war – und der ihre?

Es wird viel gelacht in solchen Stunden – zuerst über mich und meine komische Haltung, dann über die andern in der Gruppe und schliesslich über sich selbst. Und wie wunderbar: es wird nie ausgelacht – nein, es wird mitgelacht!

Johnny

Johnnys Reaktion war die eindrucksvollste, die ich je im Zusammenhang mit Haltung erlebte. Er war ein zutiefst desorientierter Patient und hatte seit einigen Monaten in meiner Gruppe gearbeitet, ohne merkliche Veränderung zu zeigen. Alle Stunden über den aufrechten Gang und meine Bemühungen, die Patienten mit dem Bild eines zweckmässigen Gehens vertraut zu machen, schienen umsonst gewesen zu sein. Er bewegte sich beim Gehen noch immer, als sei er schwanger, sein ganzer Körper lehnte sich so weit zurück, dass es aussah, als würde er jeden Moment umkippen. Nur sein Kopf, der sich weit nach vorne streckte, versuchte, die Gewichtsverschiebung auszugleichen. Steif und energisch, mit starr angewinkelten Füssen bewegte er sich im Stechschritt durch den Raum. Seine Arme schienen keinen eigenen Willen zu haben. Sie hingen schlaff und leblos herunter und wurden von der Kraft seiner energischen Schritte hilflos in die Luft geschleudert.

Eines Tages entschloss ich mich, den Gang der Patienten zu filmen. Während die Pfleger die Kamera aufbauten, erklärte ich den Patienten mein Vorhaben. "Heute wollen wir einen Film drehen. Jeder, der dabei sein will, kann mitmachen. Nächste Woche werden wir ihn alle zusammen ansehen. Wir wollen nichts weiter tun, als von hier nach dort gehen und wieder zurück, einer nach dem andern. Jeder geht völlig ungezwungen in seiner gewohnten Art, ganz wie er will."
Es war erstaunlich zu sehen, wie einige der kontaktärmsten Patienten sich plötzlich wie um die Hauptrolle kämpfende Stars benahmen! Trotz meiner Aufforderung, natürlich zu sein, versuchten alle, der Kamera zu imponieren. Merkwürdigerweise führte ihr offensichtliches Bemühen, einen guten Gang zu haben, zu einer Übertreibung ihres eigenen, verzerrten Ganges. Fasziniert sah ich zu, wie ein weit vorgestrecktes Kinn, eine schmerzlich gekrümmte Wirbelsäule, ein wedelnder Arm, ein hochgezogener Brustkorb, ein schleifender Fuss auf den Film kam. Und was Johnny betraf: jede Einzelheit seiner ungewöhnlichen Gangart kam hervorragend zum Ausdruck.

Eine Woche später sahen wir uns den Film an. Johnnys Reaktion auf den klaren Beweis seiner Gangart war unmittelbar und explosiv. Er griff nach meiner Hand und rief aus: "Nein! Das bin ich nicht! So gehe ich nicht! Mein Gott, das ist ja furchtbar!" – Als der Film abgelaufen war, wollte er nicht gehen. Er wollte sich noch einmal sehen, vielleicht in der Hoffnung, dass seine Augen ihn beim ersten Mal getäuscht hätten.Als er am nächsten Morgen in die Stunde kam, sah Johnny immer noch erschüttert aus. Aber es wurde bald klar, dass er entschlossen war, eine Veränderung zu erkämpfen. Und das Wunder geschah. In vierzehn Tagen kam ein neuer Johnny zum Vorschein. Gerade ausgerichtet stand er aufrecht, mit den Füssen fest auf der Erde. Johnnys Selbstbewusstsein und seine Einstellung dem Leben gegenüber hatten sich auf bemerkenswerte Weise zugleich mit seiner Körperhaltung verändert.

Johnny

Ich glaube, Johnnys verblüffende Veränderung ist darauf zurück zu führen, dass er sich zum ersten Mal in seinem Leben seiner ganzen Person in der Bewegung gegenüber gestellt sah. Obwohl die vielen Stunden über Korrektion von Haltungsfehlern ihn anscheinend unberührt gelassen hatten, muss etwas in ihm davon zurück geblieben sein, sonst wäre er nicht fähig gewesen, den Unterschied zu sehen und hätte die Notwendigkeit einer Veränderung nicht eingesehen.

Für mich liegt in der Tatsache, dass Johnnys Veränderung durch das Betrachten seiner Gangart im Film eintrat, etwas Bezeichnendes. Gehen ist die allgemeinste, natürlichste Art der menschlichen Fortbewegung. Vom körperlich Behinderten abgesehen, können wir alle gehen. Nur: Wie? Die Art, wie ein Mensch geht, ist ebenso einmalig wie seine Fingerabdrücke. In keiner anderen Bewegung tritt seine innere Haltung so klar hervor. Auf keine andere Weise gibt er sich so aufschlussreich zu erkennen.

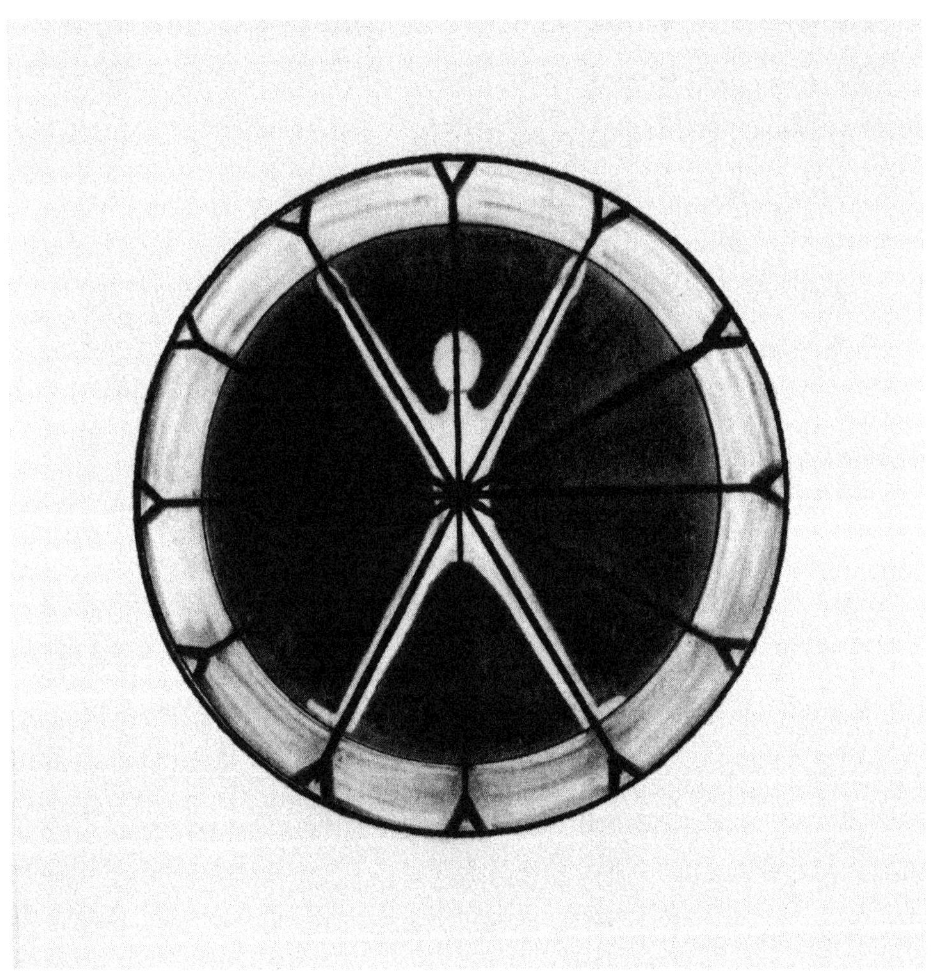

Zentrum

In der Mitte zeigt sich der Mensch

Das Zentrum ist genau das, was das Wort aussagt: Die Mitte der menschlichen Gestalt. Es ist dieses Zentrum, das die körperliche und seelische Einheit ermöglicht. Es dient als Stabilisator für unser Gleichgewicht, als Kompass für unsere Orientierung und Koordinator für unsere Bewegungen, ist Beziehungspunkt für unsere körperlichen Grenzen – es sagt uns, wo wir anfangen und wo wir aufhören.

Ich bin überzeugt, dass die körperliche Mitte das menschliche Selbst bedeutet. Als solche zeigt sie das Verhältnis des Individuums zu seinem eigenen Sein und zu seiner Umwelt.

Die Muskulatur dieses Zentrums kann sich zusammenziehen und dehnen. Wenn sie sich kontrahiert, schliesst sich der Körper konzentrisch nach innen, dehnt sie sich, öffnet er sich strahlenförmig nach aussen. Ob der Körper sich schliesst oder öffnet, ob der Mensch aus der Mitte herausreicht oder diese Mitte hält, immer beginnt die Bewegung im Zentrum. Der Körper hat keine andere Alternative: Jede Bewegung geht entweder auf die Mitte zu oder von ihr fort, genau so wie jedes Gefühl sich auf das Selbst zu oder von ihm hinweg auf andere, auf die Welt richtet.

Die meisten von uns können je nach Notwendigkeit vorübergehend das Zu-sich oder das Von-sich betonen. Ob wir uns konzentrieren, ob wir meditieren, wir können uns gegen jede Ablenkung abschirmen, ob es sich um einen herrlichen Sonnenuntergang oder um lästigen Strassenlärm handelt. Ebenso können wir nach aussen leben, einen Flug fort vom Ich in die Fantasie wagen, uns hingeben an unsere Umwelt. Wir schwingen vor und zurück, wir nehmen auf und wir geben ab, wir hören zu und wir sprechen, wir erfahren die Umwelt und uns selbst und erlauben der Welt, uns zu erfahren.

Manchmal sieht man dieses Wechselspiel gestört, wenn ein Mensch extrem die eine dieser Möglichkeiten leben muss. Der nach innen gerichtete Mensch hat die Neigung, sich zu verschliessen und abzukapseln. Man sieht niedergeschlagene Augen, verschränkte Arme, zusammengepresste Oberschenkel. Er ist ein schlechter Erzähler und ein schlechter Zuhörer, er kann sich nicht hingeben, er kann nicht aus sich heraus treten. Er ist nicht fähig, eine Verbindung zur Umwelt herzustellen. Seine Mitte ist fixiert, er kann sie nicht loslassen.

Sein extremes Gegenteil ist der extrovertierte Mensch. Alles bei ihm ist nach aussen gerichtet, er rennt sich selbst davon, er weicht aus. Man kann ihm ebenso wenig nahekommen, wie unserem introvertierten Freund. Vielleicht ist er laut, vielleicht spricht er viel – in beiden Fällen sehen wir isolierte, einsame Menschen. Der eine flüchtet vor der Welt, der andere vor sich selbst.

Ich denke an den Mann, der ständig in Bewegung war, ohne Ziel, auf einer immerwährenden Flucht . . . . oder an jenen, der sich in sich selbst zurückgezogen hatte und wie ein Fötus auf dem Boden lag, in seiner eigenen Stille eingeschlossen.

In solchen Gestalten scheint niemand zu Hause zu sein.

Unter einer schweren seelischen Belastung kann selbst der ausgeglichenste Mensch das Gleichgewicht verlieren. In den Krallen der Verzweiflung wird das Zentrum des Men-

schen ins Chaos gestürzt. Seine Energie rast in alle Richtungen, seine Bewegungen werden zerfahren, seine Stimme drückt sich in Schreien und unartikulierten Lauten aus. Der gesamte Mensch ist in Aufruhr. Während er der unerträglichen Wirklichkeit zu entkommen sucht, ist er ein Bild der Selbstauflösung. Er ist ausser sich, sagen wir von einem Menschen, dessen Mitte auseinanderbricht.

In einem seltsamen Gegensatz zu diesem steht der Körper, der scheinbar keine Mitte hat. Man sieht Menschen ohne Schwerpunkt, "haltlos", wie aufgehängt, als wollten sie der Erde entfliehen.

Die Mitte scheint der Ausgangs- und Endpunkt des körperlichen Verhaltens zu sein. Als solcher ermöglicht sie das funktionelle Gleichgewicht zwischen Gefühl und Handlung, zwischen Innen- und Aussenleben.

Franziska

Ich nahm ihre Hand, trat zurück, so dass unsere Arme gestreckt waren und sagte dem Mädchen, es solle mich zu sich ziehen. Sie starrte mich an.
"Ich verstehe nicht. Wohin ziehen?"
"Zu dir" – wiederholte ich.
"Aber wo soll ich . . . . Wie? Wie kann ich das?"
"Du brauchst nur den Ellbogen zu beugen, Franziska, und an meiner Hand zu ziehen. Zieh mich zu dir."
—— —— Lange sah sie mich an, versuchte dann verzweifelt zu tun, worum ich sie gebeten hatte, indem sie mich erst auf die eine, dann auf die andere Seite, nach oben, dann nach unten auf den Boden zog. Aber das "DU", zu dem ich gezogen werden wollte, konnte sie einfach nicht finden. Da sie von ihrem Selbst nichts wusste, war es ihr nicht möglich, mich mit ihm in Verbindung zu bringen.

Carrie und Diana

Zu Beginn meiner Arbeit zur Wiederherstellung einer wirksamen Mitte wende ich gewöhnlich jede mir erdenkliche körperliche Übung an, bei der die entsprechenden Muskeln gebraucht werden. Ich lasse Kontraktionen und Streckübungen im gesamten Umkreis der Körpermitte machen. Ich möchte, dass die Patienten fühlen, wie das Spannen und Strecken ihres Körpers von diesen Muskeln ausgehen kann. Leichter gesagt als getan . . . .

Da war zum Beispiel Carrie, eine untersetzte Frau mit einem schlaffen Bauch, die sofort ausrief: "Ich kann in meinem Bauch keine Muskeln finden. Wo sollen sie sein? Wovon redest du eigentlich?" – Ich übte einen leichten Druck auf ihren Leib aus, damit sie fühlen sollte, wo etwas geschehen würde, aber sie stiess meine Hand fort und schluchzte: "Ich habe keine, wenn ich es doch sage. Sie sind nicht da. Lass mich in Ruhe!" – Und das tat ich auch, zumindest im Augenblick. Aber ich konnte mich des Gedankens nicht erwehren, dass diese Muskeln von ihrem Schluchzen in Bewegung gesetzt wurden, ob sie es wusste oder nicht.

In lebhaftem Gegensatz zu Carrie, die ihre Mitte nicht finden konnte, war Diana, die sie nicht loslassen konnte. Ihr Bauch war flach und hart wie ein Bügeleisen, vollkommen eingepresst. Jedesmal, wenn ich sie in den Stunden oder irgendwo auf der Station stehen

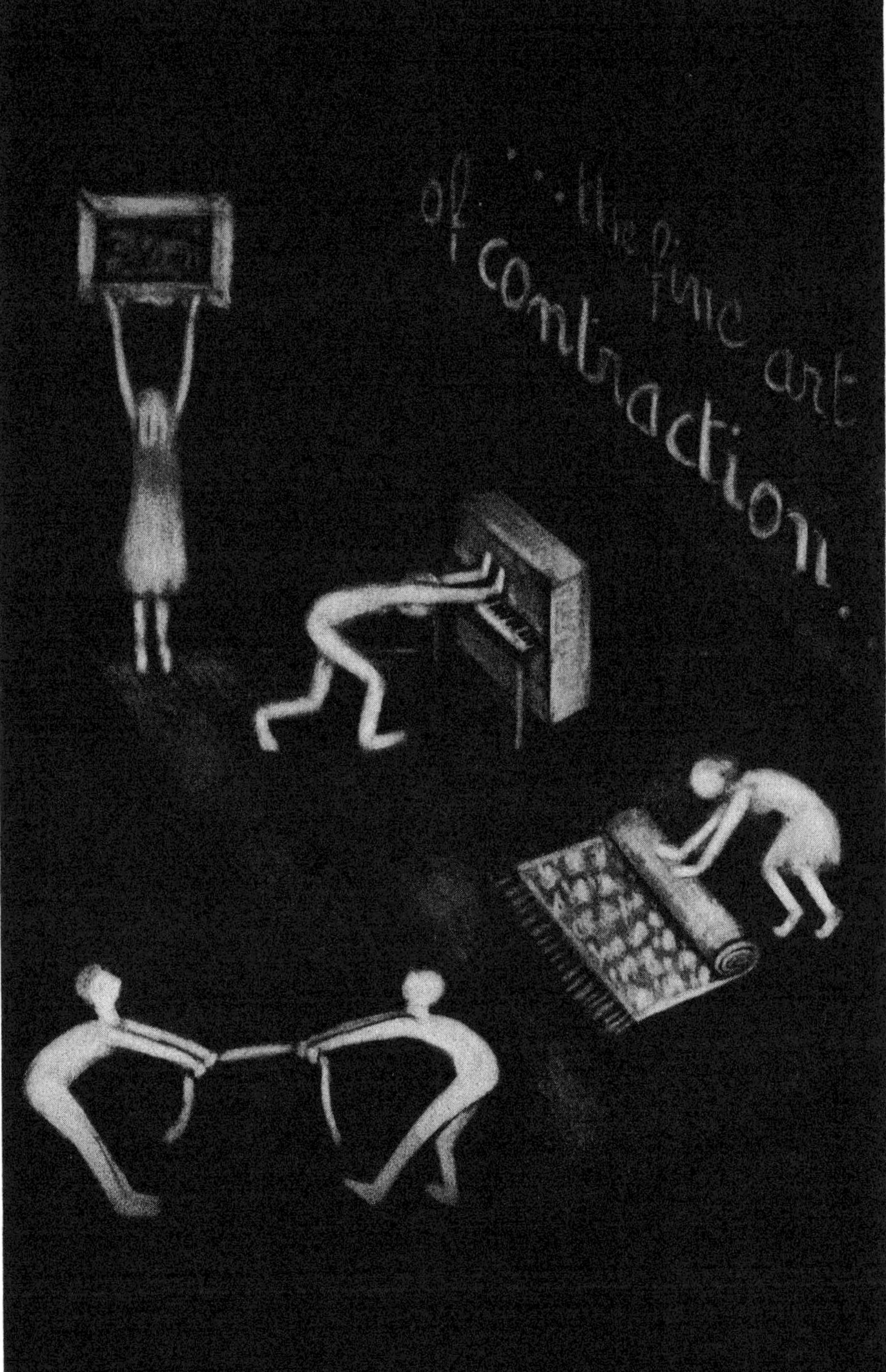
. . . the fine art
of contraction . . .

sah, hatte sie die Arme über ihren Leib verschränkt, als litte sie an einem fürchterlichen Bauchweh. In den Unterrichtsstunden machte sie den Eindruck, als wäre es ihr unmöglich, irgend eine der Übungen mitzumachen, die die Bauchmuskeln hätten lockern können. Sie liess sich nicht aus der Umklammerung ihrer eigenen Umarmung befreien.

Eines Tages ergriff ich ihre Arme und versuchte sie sorgfältig auseinander zu nehmen. "Nicht . . . . . bitte nicht!" flüsterte sie entsetzt. "Ich kann nicht loslassen. Siehst du das denn nicht? . . . . Ich falle auseinander."

Für mich stellten diese beiden Frauen die Extreme des Verlustes der Mitte dar: die eine wusste nichts von ihrer Mitte, die andere war nur auf deren Bewahrung bedacht.

Für Patienten, die ihrem Körper so entfremdet sind, dass sie nicht herausfinden können, wo ein Muskel sich spannt oder dehnt, können selbst die besten Übungen der Welt keine Hilfe schaffen. Man muss andere Wege finden, um ihnen ihre schlummernde Mitte zum Bewusstsein zu bringen. Es gibt viele alltägliche Handlungen, die ohne Beteiligung dieser Mitte nicht ausgeführt werden können: Seilziehen z.B. ist ein Wettkampf, bei dem sich die Körpermitte automatisch zusammenzieht, oder man kann Bilder aufhängen lassen, so hoch wie der Patient nur reichen kann und erreicht damit eine maximale Streckung der Bauchmuskeln. Oder ich sage der Gruppe, sie soll die Möbel ganz nach ihren eigenen Wünschen umstellen. Die Rolle des Innenarchitekten wird meist sehr willig übernommen. Sie heben, schieben und ziehen Stühle und Tische durch den ganzen Raum, Teppiche werden aufgerollt und von einem Ort zum anderen geschleift, das Klavier wird durch den Raum geschoben – und all dies begleitet von Stöhnen, Keuchen und viel lustiger Betriebsamkeit – und erheblicher Anspannung der Bauchmuskeln . . . .

Ich kann also die Bewegungselemente mit Handlungen und Gefühlen verbinden. Eine Kontraktion mag kräftig oder locker, schnell oder langsam sein, wir können in uns hineinsinken, wir können uns liebevoll, scheu, ärgerlich zusammenziehen, in Freude, Stolz oder mit einem wohltuenden Atemzug strecken. Ich kann der Klasse im Rahmen einer solchen Übungsstunde auftragen, "einen Reifen zu wechseln", "einen schweren Stein herum zu tragen", "heimlich einen Diamanten zu stehlen", "aus vollem Bauch zu lachen" – und verwandle diese Vorgänge damit in ein Adagio der Mittelpartie. So unkonventionell derartige, "der schönen Kunst von Kontraktion und Dehnung geweihte Tanzstunden" erscheinen mögen, den Beteiligten kann dabei die eigene Mitte bewusst werden.

So wenig man sich Grenzen ohne einen inneren Kern vorstellen kann, so wenig ist es denkbar, sich einen Kern ohne irgend eine Art von Begrenzung vorzustellen. Aber das augenscheinliche Nichtvorhandensein seiner Körpergrenzen ist Teil der Zentrumsstörung des Patienten. Er sieht aus und benimmt sich, als wüsste er nicht, wo er anfängt und wo er aufhört. Er scheint kein klares Bild von seinem Körper als Ganzes zu haben und er kann die Teile seines Körpers auch nicht als Teile seiner selbst fühlen. Obschon ihn die Gewohnheiten der Klinik gelehrt haben, gewisse notwendige Handlungen auszuführen, scheint er sich nicht bewusst zu sein, dass er selbst der Körper ist, der für ihn geht, isst, sitzt und sich niederlegt.

Linda

Linda schien nicht zu wissen, wo ihr Kopf war, zumindest war er mit seinen verzottelten Haaren und dem ungewaschenen Gesicht der vernachlässigste Teil ihres Körpers. Während wir zusammen arbeiteten, bemerkte ich, dass sie nie ihr eigenes Gesicht finden

Martha Graham könnte stolz auf uns sein!

konnte, obwohl sie von jedem anderen Teil ihres Körpers wusste, wo er war. Forderte ich sie auf, die Hände an ihre Wangen zu legen, griff sie zwar in die Richtung ihres Gesichtes, doch blieben ihre Hände mitten in der Luft stehen, gute dreissig Zentimeter von jeder Wange entfernt. Es sah aus, als fühle sie einen ungeheuer grossen Kopf auf ihrem dünnen Hälschen sitzen. Ich wollte, dass sie selbst seine tatsächliche Grösse entdecken sollte, aber um sie dazu zu bringen, musste ich mir einen Trick ausdenken. Wir sassen auf dem Boden und waren damit beschäftigt, unser Gesicht, unsere Hüften, Kniee und Füsse zu berühren, immer und immer wieder in der gleichen Reihenfolge. Füsse, Kniee und Hüften wurden fest gepackt, aber jedesmal, wenn das Gesicht an der Reihe war, blieben Lindas Hände in der Luft stehen. Da beschleunigte ich allmählich das Tempo, bis wir so schnell wurden, dass Linda die "Bremskontrolle" verlor. Plötzlich klatschten ihre Hände fest auf jede Wange. Sie erstarrte in dieser Stellung, ihre entsetzten Augen auf mich gerichtet. Und dann begann sie zu weinen, laut und unaufhörlich bis ans Ende der Stunde. Der heftigen Reaktion folgte eine grosse Veränderung: In den nächsten Stunden fehlte sie. Eines Tages jedoch stand sie in der Tür – Haare gewaschen und gebürstet, das Gesicht saubergeschrubbt und den Mund leuchtend rot bemalt. Von dieser Zeit an schien Linda stolz zu sein, ihr Gesicht berühren zu können.

Ich mache mir jedes verfügbare Mittel zunutze, um den Körper wieder seinem Besitzer zurück zu geben. Wir beginnen damit, jeden einzelnen Teil unseres Körpers zu erforschen, gerade so, wie wir es einst in der Kindheit taten. Oft betrachtet ein Patient seine Hand oder seinen Fuss, als sähe er sie zum ersten Mal. Während er seinen eigenen Körper mit seinen eigenen Händen fühlt und an seiner Oberfläche entlang streicht, fängt er an, ihn als etwas Dinghaftes zu sehen, etwas das Gestalt, Beschaffenheit und Wärme hat.

Unter Verwendung einer bekannten Walzermelodie beginnen wir, unsere Hände von einer Seite zur anderen zu schwingen. Dann wird der Arm in diesen Schwung miteinbezogen, die Schultern, der Kopf, der Oberkörper, die Hüften, die Beine . . . . bis der ganze Körper eine einzige schwingende Einheit ist, die bekundet: "Dieser schwingende Körper gehört mir – ich schwinge!"

Nun endlich kann jeder beginnen, seinen Körper mit dem der anderen in Verbindung zu bringen. Ich möchte Ernst klar machen, wo Franz anfängt und aufhört und Franz zeigen, wo Ernst aufhört und anfängt. Um die individuellen Unterschiede hervorzuheben, fordere ich den Patienten auf, den Körper eines anderen zu betrachten und zu berühren, gerade so, wie er gelernt hat, seinen eigenen Körper zu sehen und zu berühren.

Der Körper informiert den Menschen über die Aussenwelt. Aber um diese Information aufzunehmen, muss ein Selbstgefühl vorhanden sein. Nur das Identitätsgefühl eines Menschen kann festhalten, ob sein Körper kommt oder geht, sich bewegt oder still steht. Und nur wenn ein Individuum den Unterschied zwischen seinem eigenen Sein und dem eines Baumes, einer Katze, eines Ofens oder seiner Mutter erkennen kann, kann er sich selbst erkennen.

Unvergesslich, diese Augen!

Spannung

Man muss loslassen können

In der Terminologie des Tanzes bedeutet Spannung die Fähigkeit des Menschen, seinen Körper mit Energie aufzuladen und zu entladen. Wir können unsere Spannung gradartig steigern, können die ganze Skala von "gespannt – überspannt – angespannt – entspannt – spannungslos" in allen nur erdenklichen Nuancen erfahren.

Jeder Mensch hat meiner Meinung nach seinen eigenen, für ihn charakteristischen Tonus oder Spannungsgrad, von dem aus er seinen Kräftehaushalt steuert. Wie der Tonus des Einzelnen auch beschaffen sein mag – weich, kräftig, zart, heftig, schwer – er wird im Körper offenbar. Was wir auch tun, was wir sehen, hören, schmecken, berühren, riechen, was wir denken und träumen: ein Telefonanruf, ein Schrei, ein Sonnenuntergang, ein Gespräch, hohe und tiefe Töne, Freude, Schmerz, Trauer, Neugier – verändert unseren Spannungsgrad und kommt im Körper zum Ausdruck, wird sichtbar.

Wenn *ein* Spannungsgrad, ganz gleichgültig welcher, gleichmässig-durchgehend und flüssig sich über den ganzen Körper-Menschen verteilt, fühlen wir Einigkeit, Harmonie. Wir sind in diesem Zustand ohne Konflikt. Alles in uns will dasselbe, wir sind gefühlsmässig im Einklang. Ob Liebe oder Wut diesen besonderen Gefühlsspannungen zugrunde liegen, – Liebe, wie wir sie hier in unserem Erden-Dasein kennen, wird zu Ur-Liebe und unsere gutbürgerliche Wut zu göttlichem Zorn. Wenn ein einziges Gefühl, eine Spannung, eine Idee voll verkörpert wird, erleben wir ganzheitlich. Ein wichtiger Teil meiner Arbeit besteht darin, konfliktloses Erleben zu ermöglichen, Gefühle ohne Angst, ohne Schuldbewusstsein, ohne alle Verbote und Kritik zu leben und zu zeigen.

In unserem Alltag genau so wie auf den Stationen der psychiatrischen Kliniken treffen wir auf Menschen, deren Energiehaushalt gestört ist. Wenn sich Energie in einem isolierten Teil des Körpers ansammelt, gibt es eine Stauung, Energie wird blockiert, sie fliesst nicht in den ganzen Körper ab. Ich nenne diese Blockierungen Stop-Signale. Sie verhindern einheitliches Erleben. Eine hochgezogene Schulter oder ein eingezogenes Kreuz sagen etwas aus, sie sind anderer Meinung als der übrige Körper. Wir alle kennen diese "Barrieren". Es kann eine verspannte Schulter, ein steifer Hals, ein zusammengezogener Magen, ein Krampf in der kleinen Zehe oder ein Problem mit Zähneknirschen sein . . .
Wie lang der Weg vom ersten Erkennen einer solchen isolierten Fixierung bis zu ihrer völligen Behebung sein kann! Wir halten an der Erinnerung fest, wir klammern uns an die unzweckmässige Aussage unseres Körpers, selbst wenn wir längst wissen, wie viel unnötigen Energieaufwand wir investieren, ja selbst, wenn es schmerzt.

– "Aber ich habe meinen Kopf immer zur Seite geneigt – so bin ich eben"

– "Ich will mein Becken nicht entspannen, das sähe unanständig aus!"

– "Was stimmt denn nicht mit meinem Rückgrat? Alle finden meine Haltung schön."

Und wir alle brennen darauf, die Besonderheit unserer Verspannung erklärt zu bekommen: "Nein wirklich, warum ziehe ich die Schultern hoch? Ich meine, was sagt das aus? Warum tue ich es wohl?"

Meine Antwort kann lediglich sein: "Ich weiss es nicht, niemand weiss es – es kann viele

Gründe dafür geben. – Aber diese Schultern sagen mir: 'Hilf mir, sie zu entspannen!' Und das wollen wir jetzt tun!"

Ich habe festgestellt, dass, wenn die symptomatische Verkrampfung gelockert werden kann, der sie verursachende Konflikt alle Chancen hat, sich zu lösen. Das ist das grossartige am Tanz: Indem wir uns mit dem körperlichen Symptom befassen, behandeln wir direkt das Gefühl, von dem dieses hervorgerufen wurde.

Vergrösserte Versionen solch kleiner Stoppzeichen fielen mir zum ersten mal bei Menschen auf, die man schizophren nennt. Prof. Eugen Bleuler prägte für die fundamentale Charakteristik der Schizophrenie den Ausdruck "Spaltung". Spaltung der Psyche. Wie sah ich nun "Spaltung" in den Körpern meiner schizophrenen Patienten? Sie waren "geteilter Meinung", sie waren im Ausdruck "gespalten". Ein weiches, lächelndes Gesicht sass auf einem steifen, widerspenstigen Körper. In Angst zusammengekrümmte Füsse passten nicht zu zarten, weichen Händen. Ein kühn herausgestreckter Brustkorb überragte ein schwaches, eingefallenes Becken. Diese Gegensätze – oder Meinungsverschiedenheiten – kamen in jedem Bewegungselement und in jeder Kombination solcher Bewegungselemente vor. Sie charakterisieren eindrücklich das Geteiltsein, den Konflikt im Gefühlszustand des Menschen.

Ich kann absichtlich Spaltungen in den Körpern meiner Patienten schaffen, um ihnen bewusst zu machen, was sie unbewusst tun. Die Spaltung der Energie kann ein sehr unterhaltsames Spiel werden; schwerer allerdings als man denkt! Im Verlaufe einer Stunde kann ich gespaltene Körperzustände aufgreifen, die sich an den Teilnehmern der Gruppe zeigen, oder ich kann mich meiner eigenen Sammlung von Standard-Spaltungen bedienen. Wir können uns mit verkniffenen, verspannten Gesichtern und hängenden, schlaffen Körpern bewegen oder mit schlaffen Armen – einer Stoffpuppe gleich – auf steifen Holzbeinen hüpfen oder mit einer festen und einer lockeren Seite laufen. Die Meisten verstehen es besser, wenn ich für die Spaltungen Gefühlsbezeichnungen verwende: Wir begrüssen uns mit einem frohen Gesicht und einem traurigen Körper oder mit einer tapferen Brust und einem verängstigten Becken. Oder wir nehmen Abschied mit einer trotzigen Rechten und einer sentimentalen Linken. Wir versuchen mit unserem Kopf JA, mit unseren Händen NEIN und mit unseren Füssen VIELLEICHT zu sagen. Das alles hört sich komisch an. Aber gerade diese Übertreibungen machen den Patienten grossen Spass.

Trennung setzt die Möglichkeit der Vereinigung voraus, ebenso wie das Wort Vereinigung die Möglichkeit der Trennung in sich trägt. Und so dienen die Stunden der Spannungs-Spaltung mit meinen Patienten als Vorbereitung für die Herstellung einer gleichmässigen Spannung. Um diese Einheit der Spannung zu erlangen, kann ich die Spannung des gesamten Körpers der Spannung eines einzelnen Körperteils angleichen. Ich kann bei einer geballten Faust beginnen. Wir ziehen diese Spannung in den Arm, bewegen sie über die Brust und die Schultern, unterwegs den Kopf miteinbeziehend, sie wird durch den Rumpf, die Beine, die Füsse ausgebreitet, bis der ganze Körper sich wie eine Faust anfühlt. – Eine solche Spannungsfortsetzung kann von jedem Teil des Körpers ausgehen und in jedem Spannungsgrad beginnen. Auf dieselbe Art kann der Energiestand des gesamten Körpers einem fröhlichen Gesicht, einem nervösen Fuss, einem sentimentalen Herzen, einem aggressiven Knie angepasst werden. Es ist in der Tat erstaunlich, wie diese Übungen in der Lage sind, in einem Menschen die harmonische Einheit zu schaffen, die für unsere Funktionsfähigkeit so wichtig ist.

Jeder Mensch muss sich im täglichen Leben auch mit Situationen auseinandersetzen, die verschiedene Grade der Spannung gleichzeitig erfordern. Wenn eine Mutter, die ihr

Kleinkind über einen vereisten Platz trägt, die gleiche Energiemenge in ihren Armen anwenden würde, die sie in ihrer Mitte und in den Beinen braucht, um nicht auszurutschen, würde sie dem Kind alle Rippen brechen. In ähnlicher Weise spalten wir uns viele Male am Tag, ohne uns dessen bewusst zu werden. *Bewusste* Spaltung, Koordination, macht uns grosse Freude – wir beherrschen komplizierte Situationen – gerade so, wie wir als Kinder stolz darauf waren, gleichzeitig unseren Bauch reiben und uns auf den Kopf klopfen zu können. So wie ein Dirigent Kraft und Erfüllung spürt, wenn er seinen Geigern ein Pianissimo entlockt und im selben Augenblick die Pauken zu einem Fortissimo anfeuert. Das ist bewusste, kunstvolle Spaltung.

Die Variationen der Spannungsstörungen sind zahlreich. Es gibt Menschen, für die es keine Spannungsveränderungen mehr gibt. Sie leben im Gefängnis ihrer Einseitigkeit, *ein* Grad der Spannung ist in diesen Körpern vorherrschend, die gleiche Aussage ist permanent fixiert. Ob sie arbeiten oder spielen, sprechen oder schlafen – nichts, rein gar nichts, keine Gefahr, keine Liebesbezeugung ist imstande, den einmal festgelegten Tonus zu verändern. Wir sehen nicht einen wütenden Menschen, sondern ein erstarrtes Symbol der Wut – nicht eine trauernde Frau, sondern ein versteinertes Bildnis der Verzweiflung. –

Rosa

Ich erinnere mich an Rosa, die ausschliesslich in den beiden Extremen ihres Energieverbrauches lebte. Sie hatte keinerlei Zwischentöne. Sie war 26, seit vielen Jahren in einer psychiatrischen Klinik interniert. Patienten und Pfleger hatten Angst vor ihr, weil sie völlig übergangslos lebte. Plötzlich konnte sie, ohne jegliche Warnung und scheinbar grundlos, den nächstliegenden Gegenstand – einen Topf, einen Stuhl usw. – an sich reissen und alles, was sich in ihrer Nähe befand, zusammenschlagen.

Sie war erbarmungslos dick und lebte effektiv in den zwei extremen Spannungsgraden: Überspannt oder spannungslos. Im überspannten Zustand schlug sie zu und schrie – im spannungslosen sank sie einfach hin und der ganze Körper klatschte auf den Boden. Sie war ein stark liebesbedürftiger aber auch ein Liebe demonstrierender Mensch. In ihrem "gefährlichen" Zustand liess sie mich mit schweren, heftigen Umarmungen wissen, dass sie mich gern hatte, drückte mich gewalttätig an sich und dann brach dieses Liebesgefühl plötzlich ohne Übergang ab und sie plumpste in einen Sessel.

Eines Tages gab ich ihr meine Trommel. "Wollen wir ganz leise anfangen darauf zu spielen? Ganz zart, kaum hörbar? Und dann könnten wir immer lauter werden und noch lauter?" – Sie verstand mich. Als sie mit ihren Trommelschlägen die Gefahrenzone der Lautstärke zu überschreiten drohte, fragte ich sie, ob sie langsam wieder leiser werden könnte. Sie konnte es und strahlte. Vor lauter Freude wollte sie das Experiment wiederholen und zerschlug dann auch prompt die Trommel. Es tat ihr leid. Aber ich wusste nun, dass diese Art der Arbeit ihr vielleicht doch einige Zwischentöne der Spannungsgrade bewusst machen könnte. Ich musste nur sehr wachsam sein und sie nicht in ihre Verspannung von Wut hineinrutschen lassen.

Dieses "Spiel mit der Energie" setzten wir mit Worten, Bewegungen, Sätzen und schliesslich mit Singen fort. Sie kannte viele Volkslieder. Ihr liebstes war "Wenn du noch eine Mutter hast, so danke Gott und sei zufrieden . . . . " – Sie begann leise, es tönte beinahe wie ein Wiegenlied, dann wurde ihre Stimme lauter, heftiger, bis sie aus voller Brust das geliebte Lied in den Raum hinausposaunte. Als ich ihr riet, wieder leiser zu werden, konnte sie es und flüsterte: "Ach, wie schön".

Spaltung

In einer der letzten Stunden standen wir uns gegenüber in der Mitte des grossen Saales. Sie flüsterte mir ins Ohr "Salü Trudi" – ich flüsterte zurück "Hallo Rosa". Langsam schritten wir rückwärts, jedes in seine Richtung. Der Raum vergrösserte sich zwischen uns, unsere Stimmen mussten lauter werden, unsere Gesten grösser, wenn wir einander verstehen wollten. "Salü Trudi" – "Hallo Rosa" riefen wir uns aus den Ecken des Saales zu. Wieder auf einander zugehend wurden wir leiser und leiser. Da begann Rosa den Text zu ändern. Sie lallte zärtliche Worte und Töne vor sich hin. Ich antwortete ihr auf die gleiche Weise, es hörte sich an wie ein liebevolles Geplapper zwischen Mutter und Kind.

Als ich Rosa nach zwei Jahren wieder sah, fand ich nicht viel Veränderung in ihr vor. Sie lebte ihr Leben ohne viel Energie-Aufwand. Hingegen hatte sie nie mehr einen unerwarteten Wutausbruch gehabt. –

Die Intensivierung des Gefühls bedingt eine Intensivierung der Spannung, ebenso wie ein Nachlassen eines Gefühls von einem Abklingen der Spannung begleitet ist. Im Idealfall steigen Gefühl und Spannung zugleich auf, erreichen gemeinsam ihren Höhepunkt und klingen zusammen ab.

Das Zusammenwirken eines starken Gefühls und höchster Energie kann zu erstaunlichen Leistungen führen. Man denke an die Frau, die ein Auto hoch- und vom Körper ihres darunter eingeklemmten Kindes hinweghob. Von einer furchtbaren Angst getrieben, ihre Energie zu einer einzigen Tat gesammelt, spürte sie solche übermenschlichen Kräfte, dass sie eine an ein Wunder grenzende Leistung vollbrachte. Ob es sich um ein solch einmaliges, wunderbares Ereignis handelt, oder um alltägliche Leistungen, wie das Pflügen eines Ackers, das Dirigieren eines Orchesters – der Erfolg eines Unterfangens hängt stark vom Zusammenwirken von Energie und Gefühl ab.

Wie gern möchte ich die Fähigkeit zu solch vollständigem Einssein wecken können! So viele von uns halten ständig ihr Handeln unter Kontrolle, beschneiden die Gedanken, unterdrücken die Bewegung, bevor sie sie nur begonnen haben. Da Spannung in dem Masse zunimmt wie die Beteiligung, weiss ich, dass ich die Beteiligung vergrössern kann, wenn ich die Spannung steigere. Ich muss also versuchen, im Körper eine ununterbrochene Energiesteigerung hervorzubringen, bis sie ihren Höhepunkt erreicht und ihr dann erlauben, ohne Unterbrechung wieder auf ihren natürlichen Ausgangspunkt zurück zu fallen.

Artisten, Athleten sind herausragende Spannungsspezialisten: Der Sprung ins Wasser, der Flug über die Skischanze, der Eiskunstläufer! Wie augenfällig wird dieses Spannen und Entspannen beim Stabhochspringer, dessen Körper während der Vorbereitung zum Sprung, während des Laufens und dann des Sprunges sich mit Energie vollständig auflädt, oben still zu stehen scheint und dann in einer wunderbaren Entspannung hinunter zu schweben scheint.
Alle diese "Extremisten" unter uns scheinen für einen Augenblick über sich hinauswachsen zu können, um gleich darnach wieder "zu sich zu kommen", wieder in ihren eigenen Spannungsgrad zurück zu kehren.

Haben Sie je einmal diesen bunt zusammen gewürfelten Volkstanzgruppen zugesehen, den Gruppen aus Russland, Mexiko, Griechenland, Israel . . . ? Haben Sie jemals selbst an einem Volkstanz teilgenommen? Es ist ein Erlebnis, das man sich nicht entgegen

Volkstanz

lassen sollte. Die Erregung steigert sich zu einem fröhlichen Wirbel, in dem das Drehen, das Stampfen, das Klatschen und die Schritte immer schneller werden. Die Bewegungen werden stärker, heftiger, das Mitmachen der Tänzer intensiver, der Ausdruck gespannter bis Geist, Musik und Tanzende zusammen ein grosses gemeinsames Finale erreichen. Dann entlassen der Rechtsanwalt, der Lehrling, die Hausfrau, der Arbeiter und der Bildhauer – die ganze buntgewürfelte Menge ihre Erregung in einer gemeinsamen keuchenden, unverhohlenen, glücklichen Erschöpfung.

Welch ein Gefühl der Erfüllung können solche Erlebnisse geben! Liebende kennen dieses Gefühl und gebärende Frauen.

Rhythmus

Der Kampf mit dem rhythmischen Gleichgewicht

In rhythmischen Intervallen folgt der Tag der Nacht und die Nacht dem Tag. Frühling, Sommer, Herbst und Winter kommen und gehen, Ebbe und Flut sind der Pulsschlag der Ozeane, Sonnen, Monde und Sterne kreisen in ewiger Regelmässigkeit um ihre Zentren, Geburt und Tod bilden die rhythmischen Elemente unserer Menschengeschichte, Atem und Herzschlag sind die metrischen Ordnungen unseres Lebens. Unsere Sprache ist Rhythmus und Rhythmus ist unsere Arbeit, unser Spiel, unsere Lieder und unsere Tänze.

Jeder einzelne ist in den Rhythmus des Geschehens einbezogen und es ist unvorstellbar, dass es einen einzigen Menschen gibt, der nicht teil daran hat. Und doch: Wenn ich in meinen Gruppen mit rhythmischen Übungen beginne, erklärt mindestens einer verzweifelt, dass er vollkommen unrhythmisch sei und diesen Übungen nie werde folgen können.

Halacz

Ich bin überzeugt, dass es tiefliegende psychologische Ursachen dafür geben muss, dass jemand nicht in der Lage ist, einen Rhythmus zu empfinden. Halacz war der erste, der mir diese Überzeugung bestätigte. Er war Mitglied meines ersten Ensembles. Ein geschulter Tänzer, von gutem Aussehen und mit einem instinktiven Gefühl für Nachahmung begabt, hätte er ein hervorragender Tänzer sein können, wenn ihm nicht jegliches Gefühl für rhythmische Strukturen gefehlt hätte. Auf Proben und in Vorstellungen gerieten seine Sprünge oft zu kurz oder zu lang, begann er eine Drehung zu spät oder betonte den falschen Schlag oder er legte seinen Arm im falschen Moment um eine Hüfte. Seine ungenauen oder falschen Einsätze trieben die anderen zur Verzweiflung, sie überschütteten mich mit Beschwerden. Auf der Bühne stiessen sie ihn oft ärgerlich in die, wie wir sagten, "richtige rhythmische Betonung". Ausserhalb des Theaters zeigten ihm seine Künstlerkollegen die kalte Schulter. Ich wusste, dass ich eingreifen musste, und zwar schnell.

Mir wurde bewusst, dass Halacz in Bezug auf Rhythmus ein Paradoxum war. In unserem täglichen Training improvisierte er seine eigenen schönen rhythmischen Folgen. Diese waren keineswegs primitiv, sie waren lange Kombinationen von verwickelten Tempoveränderungen. So forderte ich ihn eines Tages auf, der Klasse eine Lektion in Rhythmus zu geben. Mein Vorschlag verschlug den Tänzern zuerst die Sprache, dann brachen sie in Lachen aus. Im Verlauf der Stunde verstummte das Lachen jedoch. Halacz übernahm die Führung der Gruppe mit völliger Sicherheit und jeder dieser versierten Tänzer war ganz von diesen rhythmischen Kombinationen in Anspruch genommen, aber zu folgen, gelang ihnen nicht. Während der Abendvorstellung beobachteten wir Halacz mit neuer Hoffnung. Wir wurden bald enttäuscht – seine Sprünge endeten zu früh, die Drehungen begannen zu spät. Noch nach dem Augenblick seines Einsatzes stand er in den Kulissen und zählte stumm die Takte . . . .

Eines Abends sassen Halacz und ich nach der Vorstellung bei einem gemeinsamen Nachtessen und er begann mir von seiner Kindheit zu erzählen.

"Mein Vater war ein Riese mit einem ungeheuren Schnurrbart. Er war ein richtiger Gesundheitsnarr und schien es sich zur Aufgabe gemacht zu haben, mich seinen anstrengenden körperlichen Grundsätzen entsprechend zu erziehen. Ich musste kilometerweit mit ihm wandern. Nie werde ich seine riesigen Schritte vergessen! So sehr ich auch versuchte, meine Beine zu strecken, jeder seiner Schritte verlangte deren vier von mir. Aber an Vaters Tempo war nicht zu rütteln. Ich kann mich erinnern, welche Angst ich hatte, nicht mit ihm Schritt halten zu können. Wie verärgert Vater sein würde! Vielleicht liesse er mich einfach ganz allein in den Bergen stehen .... Ich hatte wirklich eine Riesenangst. – Und wenn wir endlich Rast machten, kamen tiefe Atemzüge dran. 'Einatmen und bis sechs zählen' rief er aus, 'so'! Ich kann noch sehen, wie seine breite, behaarte Brust sich bis zum Bersten dehnte. 'Dann anhalten – so'! Sein Gesicht lief rot an. 'Jetzt ausatmen und bis sechs zählen!' Und die ganze Luft kam in einem grossen Stoss wieder heraus. Ja, da zu folgen, das erforderte schon einiges an Kraft und Willen!"

"Komisch, Halacz", fing ich vorsichtig an, "weisst du, als du mir eben diese Geschichte erzähltest, sahst du immer noch verängstigt aus. Meinst du, dass du dich immer noch gegen ihn wehrst, gegen seine dominierende Autorität und besonders gegen diesen Zwang? Ich glaube, wenn du ihm immer noch Widerstand entgegen bringst, dann ist das vielleicht der Grund, warum du der Musik meiner Ballette nicht folgen kannst ...."

Halacz starrte mich finster an. Nach einem langen Schweigen sagte er, "Das muss ich mir überlegen .... Ich weiss nicht, vielleicht hast du recht. Aber ich weiss auch, dass ich deinen rhythmischen Vorstellungen genau so wenig nachkommen kann, wie ich mit meinem Vater Schritt halten konnte. In Wirklichkeit macht ihr mich alle beide wütend!"

Es schien tatsächlich, als hätte Halacz die Ursache seiner Schwierigkeiten entdeckt. Jedenfalls begannen sich seine Probleme nach und nach wie von selber zu lösen und allmählich fügte er sich in unsere Tänze ebenso präzise ein, wie er es bei seinen eigenen Kompositionen tat.

Am Anfang kann ich keinem Patienten meinen Rhythmus aufzwingen. Mit viel Geduld muss ich ihn erst seinen eigenen Pulsschlag finden lassen. Erst wenn er seinen ganz persönlichen Rhythmus spürt, ist er bereit, einem ihm vorgegebenen zu folgen.

Die Möglichkeiten, Rhythmus bewusst zu machen, sind endlos, ich werde einige erwähnen, die meinen Patienten besonders geholfen haben.

Da sind die Schlagbesen – mehrere lange Weidenruten, an einem Ende mit einem Band zu einem Griff zusammen geklebt. Der Schlagbesen scheint ein völlig harmloses Werkzeug zu sein – der Benützer ist für ihn nicht verantwortlich .... Er kann streichen oder klopfen, auf den Boden schlagen oder Muster in die Luft zeichnen, er wird zum Träger von Gefühlsregungen, indem er dem Patienten erlaubt, Gefühle, die er sich normalerweise versagt, auszudrücken. Der Schlagbesen dient als verlängerter Arm seines Selbst.

Um jeden mit der Tendenz seines eigenen persönlichen Rhythmus' vertraut zu machen, ermuntere ich die Gruppenmitglieder, mir zu zeigen, wie sie verschiedene alltägliche Handlungen ausführen:
"Wie steht ihr morgens auf – schnell oder langsam? Seid ihr sofort hellwach oder schlummert ihr wieder ein?"
Und während jeder vormacht, wie er sich die Haare kämmt, die Zähne putzt, sich anzieht oder eine gegebene Arbeit ausführt, kann er eine Menge über seinen eigenen Körperrhythmus lernen. Solange wie notwendig, gehen die Patienten in ihrem eigenen Tempo, klatschen sie ihren eigenen Rhythmus, stampfen sie, wie sie wollen und so schnell wie sie wollen, ohne von der Musik, der Trommel oder von mir beeinflusst zu werden.

Frau mit Schlagbesen

"Jetzt könnten wir doch alle einmal unseren Puls fühlen, so wie die Schwestern das tun. Fühlt ihn, da, an eurem Handgelenk. Wenn ihr jeden Schlag fühlt, gebt ihm einen Ton. Einen Ton für jeden Schlag . . ."

Nach einer Weile hat jeder seinen Puls gefunden und der ganze Raum ist von einem Durcheinander von Tönen erfüllt – manche sind langsamer, manche schneller, einige höher, andere tiefer – ein Chor von Stimmen, die den Schlag ihres Lebens singen: "Dah-dah-dah-dah, bom-bom-bom-bom, tak-tak-tak-tak . . . ."

Es ist faszinierend zu erleben, wie langsam, kaum merklich, die Verschiedenheit der individuellen Schläge in einen gemeinsamen, Raum und Menschen erfüllenden Pulsschlag übergeht. – Jetzt kann eine Trommel oder das Klavier vorsichtig die Führung übernehmen und das Metrum weiterführen, das die Patienten im gemeinsamen Erlebnis als ihr eigenes erfuhren. Dann kann ich sie auffordern, Teile ihres Körpers nach diesem Metrum zu bewegen: Hände, Füsse, Ellbogen, Knie, Kopf, Hüften. Die Stellung wird verändert – der Ausdruck – bis schliesslich der ganze Mensch eine tanzende Einheit bildet. Jeder folgt seinem eigenen, nicht einem fremden Rhythmus, was wesentlich zu ihrem und meinem Vergnügen beiträgt.

Wenn die Patienten sich nicht mehr gegen einen fremden Rhythmus wehren müssen, kann ich beginnen, ihnen die Möglichkeit des umfassenden rhythmischen Erlebnisses zu erschliessen. Durch das Betonen eines bestimmten Schlages beginnen wir die Zeit einzuteilen. Die Wiederholung bestimmter Formen macht den Patienten Freude. Wiederholungen jeder Art geben Sicherheit und Wohlbefinden, so wie wir als Kinder gerne immer dieselben Lieder hörten oder sangen.

Von der rhythmischen Übereinstimmung gehen wir zum rhythmischen Gegensatz über. Ich ermutige die Patienten, mit ihren Schlagbesen einen Rhythmus gegen meine gleichmässigen Trommelschläge zu schlagen – schneller oder langsamer oder lauter – ganz, wie es ihnen Spass macht. Es klappert und rasselt und klatscht, der Raum ist ein Durcheinander rhythmischer Revolution! Dann wechseln sie ab, zeitweise mit mir im Gleichklang schlagend, zeitweise dagegen, lernen sie zu sagen "ich will", ebenso wie "ich will nicht". – Und wiederum ist das Gleichgewicht gefunden zwischen Anpassung und individueller Erfindung.

Der "normale" Mensch kann Rhythmus und Spannung koordinieren. Wir kennen eine ganze Reihe solcher rhythmischer Koordinationen: Der Geiger, der mit der rechten Hand den Bogen sanft und gleichmässig bewegt und mit der linken energisch das Griffbrett bearbeitet – der Pianist, der links dröhnende Bässe hervorzaubert und rechts ein lyrisches Andante spielt – der Tänzer, dessen Oberkörper oft einen ganz anderen Rhythmus ausdrückt als die Füsse und schliesslich der Jongleur, der ein wunderbares Zeitgefühl haben muss, um all diese in verschiedenen Bewegungsabläufen springenden, kreisenden und sich drehenden Objekte zur richtigen Zeit auffangen und weitergeben zu können! All diesen Menschen zuzusehen, zuzuhören ist ein herrliches Erlebnis. Beim Kranken fällt diese rhythmische Einheit auseinander. Er ist im eigentlichen Sinne gespalten. Während der gesunde Mensch diese Teilung beherrscht, wird der Kranke von ihr beherrscht – er kann nicht einfach aufhören, kein Vorhang fällt für ihn und erlaubt ihm, sich wieder in voller Harmonie und im rhythmischen Gleichgewicht zu bewegen. Sein Körper wird unentwegt von Zucken, von Grimassen, Krämpfen, von jeder Art rhythmischer Störung geplagt. Welche Botschaft auch hinter diesen scheinbar unmotivierten Bewegungen stehen mag, sie kehren immer und immer wieder. Die Körper, in denen sie hausen, sind von ihnen besessen.

Ich sehe vor mir den Mann, der ein nicht vorhandenes Buch zur Hand nimmt und aufgeregt darin blättert oder die Frau, die alle paar Minuten zum Fenster rennt, die Hand über die Augen hält und in die Ferne schaut, den, der unentwegt Geld zählt und viele andere, die solche Handlungen zwanghaft ausführen müssen.

Agnes

Wie oft habe ich mir Gedanken über das zwangsmässige Sich-Schaukeln vieler Patienten gemacht! Warum tun sie das? Welches Gefühl liegt hinter dieser rhythmischen Hin- und Herbewegung, von der die Körpermitte massiert wird . . . ?

Ich setze mich der schaukelnden Patientin – sie ist in der Liste als Agnes Porter eingetragen – gegenüber. So genau wie möglich gleiche ich meine Beinstellung der ihren an: Knie zum Körper hochgezogen, Füsse etwa 45 Zentimeter auseinander, nur die Fersen berühren den Boden. Das Nachahmen der Stellung ihres Oberkörpers fällt mir schwerer. Ihr Brustkasten ist eingesunken, ihre Schultern mit einem runden Rücken hochgezogen und der Kopf scheint zwischen ihnen gefangen. Merkwürdig, wie Stöcke, stehen die Arme aus dem Schultergürtel heraus, und wie schlaff die Hände an den Handgelenken baumeln! Wie lose der Kiefer in diesem stumpfen Gesicht hängt, dessen Lippen von weissem Schaum umrändert sind. Ich zwinge meinem Körper die Stellung auf, die Agnes einnimmt und versuche, ihrem Schaukelrhythmus zu folgen. Wie ungemütlich fremd ich mich fühle, meiner eigenen Spannung so gar nicht entsprechend. Wieviel Kraft brauche ich, um mich diesem schnellen, ruckartigen Tempo anzupassen. Das betonte Vorwärtsstossen ihrer Bewegung erweckt in mir ein Gefühl von . . . . Wut? . . . . Trotz? . . . . – Bestimmt jedoch von Verzweiflung. Ich habe das Gefühl gefangen, eingepfercht, unglücklich zu sein. Weiter und weiter und weiter schaukeln wir . . . . mir wird fast schwindlig . . . . Merkwürdig, aber diese Bewegung hat doch etwas Befriedigendes an sich. Erzeugt die rhythmische Vor- und Rückwärtsbewegung des Körpers über dem Genitalbereich nicht ein angenehmes Gefühl? Gibt diese Selbst-Stimulierung gleichzeitig Sicherheit? Ermöglicht sie Agnes irgendwie, sich in den Grundzweck des Daseins miteinbezogen zu fühlen? Weiter und weiter und weiter schaukeln wir . . . . Ich merke, dass mein Körper langsam zu seiner eigenen, weicheren Spannung, zu seinem eigenen, langsameren Rhythmus zurückgekehrt ist; meine Schultern haben sich gelockert. Weiter und weiter und weiter . . . . schaukeln und wiegen . . . . ich kreise über und um den Angelpunkt meines Beckens, meiner Mitte. – Wie tröstlich, wie wohltuend . . . . ich denke an alle Mütter dieser Welt, die seit Anbeginn der Zeit ihren Säugling in den Schlaf wiegten. Versucht Agnes' Körper, die Sicherheit und sinnliche Wärme dieser Erfahrung wieder zu erleben? Beruhigt ihr grimmiges Wippen unerträgliche Gefühle, lullt es sie in den Schlaf? Verhindert das Wiegen eine Krise? Vor und zurück, vor und zurück . . . . ich erinnere mich an eine Zeit, in der mein Körper auf eben diese Weise den Tod eines geliebten Menschen betrauerte. Und ich erinnere mich, dass er während des Schaukelns und Wiegens und Kreisens schrie: "Ich bin traurig" und im gleichen Atemzug flüsterte: "ich werde wieder froh werden" ––

Während der vielen Stunden, die wir zusammen schaukelten, stiegen immer mehr Assoziationen an die Oberfläche. Vielleicht traf keine davon auf Agnes zu, immerhin . . . . irgendwie hatte ich das Gefühl, eine Zeitlang in ihrer eigensten Welt gewesen zu sein, an ihrem Leben teilgenommen zu haben, wodurch ich vielleicht anfangen konnte, ihr Bedürfnis für diese Schaukelbewegung zu begreifen.

Manchmal, wenn ich an die sogenannt Normalen von uns denke, erstaunen mich deren Methoden, die sie anwenden, um ihren Ängsten entgegen zu treten. Wir versuchen, das

Unglück mit symbolischen Körpersignalen abzuwenden: Wir drücken den Daumen, wir klopfen auf Holz, spucken über die rechte (oder linke) Schulter. Wehe dem Artisten, der es am Abend der Premiere wagt, in der Garderobe zu pfeifen, er wird die Verantwortung für alles Missliebige übernehmen müssen – es sei denn, er geht vor die Tür, spuckt aus und dreht sich dreimal um . . . . Wie fantastisch und erfinderisch sind diese Beschwichtigungsriten der Menschen! Es spielt keine Rolle, ob diese Handlungen sinnlos oder zeitverschwendend sind – sie beschwichtigen unsere Schuld- und Angstgefühle. Wir müssen sie ausführen.

Wir aber sind in der glücklichen Lage, diesen Verhaltensweisen nur zu bestimmten Anlässen zu frönen. Einmal ausgeführt, ist die Zeremonie vorbei, wir fühlen uns sicher, die Bedrohung durch die Götter dauert nicht länger an. Die Kranken jedoch müssen diese Beschwörung immer und immer wieder erneuern, sie wiederholen in einem endlosen Bemühen, die strafende Hand abzuwenden.

Wenn ich mich der zwangshaften Bewegung des Patienten anschliesse, verbünde ich mich mit ihm im Bemühen, den ihn zwingenden "Teufel" zu beschwichtigen. Wenn es dem Patienten zum Bewusstsein kommt, dass ich ihn bei der Wiederholung seiner Bewegung begleite, fängt er an zu spüren, dass ich sie und damit ihn akzeptiere. Zu diesem Zeitpunkt beginne ich mit kleinen Veränderungen. Vielleicht beschleunige ich die Handlung ein wenig, schmücke sie aus, vereinfache sie. Oder ich versuche, die Zeiträume zwischen den Vorgängen zu ändern, wobei ich dem Partner zusichere, dass er seinen eigenen Rhythmus wieder aufnehmen kann, sobald ihm dies notwendig erscheint. Diese Erlaubnis scheint ihn zu beruhigen und vermindert oft die Häufigkeit der Zwangsanfälle. Die Notwendigkeit eines Schemas wird weiterhin unterstützt und das Recht auf seine Ausführung anerkannt. Wenn der Patient fähig ist, seine zwangshaften Beschwichtigungsversuche zu ändern und zur Erkenntnis kommt, dass nichts passiert – absolut nichts, keine Strafe, keine Katastrophe – dann hat er einen Wendepunkt erreicht. Mit seinem Einverständnis kann ich dann anfangen, die Abweichungen grösser und grösser werden zu lassen und schliesslich das Muster so sehr zu verändern, dass weder er noch ich noch "derjenige, den es beschwichtigen soll" das ursprüngliche Schema wiedererkennen kann.

Schaukeln

Raum

Die Eroberung der Leere

Mit einem atemberaubenden Sprung schwingt sich der Körper des Tänzers in die erwartungsvolle Leere der grossen Bühne. Sofort erhält der Raum eine Bedeutung und einen auf diese im Flug gestreckte Gestalt konzentrierten Brennpunkt. Der Raum ist das Reich des Tänzers, für ihn geschaffen, von ihm mit Bewegung zu erfüllen. Dieser bevölkert den Raum mit sich selbst, breitet seine Persönlichkeit auf allen seinen Ebenen, in allen Richtungen aus. Sein Körper malt seine Bilder und Vorstellungen auf diesen grossen Hintergrund.

In der Kindheit erleben wir Raum "von unten". Gesichter und Gegenstände blicken auf uns herab. Sind diese riesigen Erscheinungen beruhigend oder beängstigend?

Wenn wir dann unsere ersten Schritte unter diesen Riesen tun, erweitert sich das Blickfeld. Steht es uns frei, diese faszinierende Erweiterung des Raumes auf unsere eigene Art in unserem eigenen Zeitmass zu erforschen?

Schliesslich kommt die Zeit, da sich der Raum öffnet, grösser wird – man kann auf Bäume klettern, über die Strasse gehen, sich im Grase wälzen, in die Sterne gucken. Wird unser Verlangen nach Eroberung des Raumes gestillt oder wird diese Neugier von hemmenden Verboten abgewürgt?

Eines Tages sind wir selber diese Riesen. Welches Verhältnis haben wir jetzt zum uns umgebenden Raum?

Raum kann als Bedrohung oder als Geschenk erfahren werden. Unsere Reaktionen auf seine Höhen und Tiefen, auf seine Weite oder Enge können von Entzücken bis zu unerträglicher Angst reichen. Eine Fahrt in einer Gondelbahn kann für einen Menschen etwas herrliches und für einen anderen ein Albtraum sein. Eine Höhlenwanderung kann uns Geborgenheit vermitteln oder zum Schreck werden. Überfüllte Autobusse und Zuschauerräume, der unendliche, weite Horizont einer Wüste oder des Meeres, sie alle erwecken eine Vielfalt an individuellen Reaktionen.

Die räumlichen Gegebenheiten auf unserer Erde scheinen den Charakter ganzer Völker zu beeinflussen. Die majestätische Macht der Alpen, hinter denen meine Heimat, die Schweiz, verschanzt ist, beeinflusst mit Sicherheit deren Bewohner – fühlen wir uns geschützt, geborgen oder bedroht? Haben wir Angst, über ihre Gipfel hinaus einen Blick in die Welt zu werfen? Mir scheint oft, als befürchteten wir, eine ungestüme Handlung oder ein kühner Gedanke könnte die Berggeister stören, welche uns bewachen und behüten.

Ich weiss, dass wir als wortkarges, verschlossenes Volk gelten, dies scheint mir auch durch die Sparsamkeit unserer Bewegungen noch hervorgehoben zu werden. Unsere Nachbarn im Süden hingegen, unter dem weiten, sonnigen Himmel Italiens sprechen und bewegen sich ausladend, zeigen in ihrer Körpersprache, wie sie fühlen. Wir betrachten sie als temperamentvolle Südländer – sie betrachten uns als knauserige Gastwirte.

Immer war der Mensch schon damit beschäftigt, das Aussehen seines Raumes zu verändern, indem er ihm aus praktischen oder ästhetischen Erwägungen etwas hinzufügte oder entnahm, die Möbel umstellte, andere Bilder aufhängte usw. Auch an der Art, wie er

seinen Garten anlegt, seinen Balkon bepflanzt oder eben nicht bepflanzt, erkennt man sein Interesse an der Gestaltung seines Lebens-Raumes. Die Brücken des Menschen spannen sich über seine Gewässer, seine Wolkenkratzer, streben in den Kosmos, seine Autobahnen winden sich durch die Weite des Landes.

Wirtschaftliche, geographische, politische und andere, den Betroffenen oft unverständliche Faktoren bestimmen die Lebensräume der Menschen, setzen ihnen Grenzen, begrenzen ihre Verbindungen, ihre Bewegungsfreiheit. Umso sorgfältiger planen wir Hochzeiten, Begräbnisse und andere gesellschaftliche Ereignisse. Höfische und militärische Festzüge sind Meisterwerke in der Kunst der Anordnung von Menschenkörpern. Und wie eindrucksvoll ist die Choreographie der Rituale unserer Religionen!

Wie nahe kann uns ein geliebter Mensch kommen? Ein Fremder? Ein Bekannter? Wieviel Raum beanspruchen wir für uns selbst? Viel? – Wenig? Gehören wir zu jenen, die nie genug körperliche Nähe spüren können? Sind wir jemand, der sich der ganzen Menschheit zuwendet – mit einer Berührung, einem Streicheln, einer Umarmung? Oder empfinden wir gerade umgekehrt? Fühlen wir uns unbehaglich, wenn uns jemand zu nahe kommt, uns berührt? Weichen wir gar zurück? Haben wir Angst? Angst, vor Menschen, die uns zu nahe kommen? Wie weit weg von uns stellen wir die Tafel auf: "Zutritt verboten"?

Ich erinnere mich, dass ich als Kind in Kreuzlingen oft einem älteren Mann begegnete, der sich so nahe an Mauern und Zäune drückte, dass ich das Geräusch seiner diesen Mauern entlang streichenden Kleider hören konnte. Wir Kinder folgten ihm neugierig – wieso ging er nicht mitten auf dem Gehsteig, wie wir alle? Heute weiss ich, dass dieser Mann die Mauern, die Hecken und Zäune als Schutz empfand, er brauchte diesen Halt, musste ihn spüren. Dies war mein erstes Erlebnis mit einem ver-rückten Raumgefühl.

Seither habe ich viele Männer und Frauen innerhalb und ausserhalb von Anstalten gesehen, die sich bewegen, als scheuten sie vor etwas zurück, das vor ihnen auf der Lauer liegt:

- Körper, die plattgedrückt sich seitlich vorwärtsbewegen, als gingen sie zwischen zwei Mauern,
- Körper, die mit anderen zusammenstossen und solche, die einen sorgfältigen Bogen um andere machen, die gar nicht da sind,
- Körper, die von unsichtbaren Lasten gebeugt sind und
- Körper, die aussehen, als blickten sie in rosa angehauchte Himmel,
- Körper, die wie Erbschleicher herumkriechen,
- Körper, die sich ducken, als beträten sie ein brennendes Gebäude.

Ich kann sehen, wie Entschuldigung in den Raum gemalt wird und Entwürdigung und Gewöhnlichkeit und Gemeinheit . . . . Aber am meisten sehe ich Angst in diesen Körpern eingegraben – der Raum ist zum Feind geworden.

Anstatt sich passiv vom Raum überwältigen zu lassen, versuche ich mit den Patienten, den Raum zu gestalten, ihn mit uns zu bevölkern. Wir können dem Raum den Kampf ansagen. Gemeinsam wollen wir das versuchen: Die Arme untergehakt, bilden wir eine menschliche Kette, welche wie eine Kampflinie in die Gefahrenzone stürmt. Indem wir durch die bedrohliche Leere schreiten, greifen wir sie an, als wäre sie greifbar. Mit

Schlittschuhläufer erleben den Raum

Faustschlägen, Tritten, Stössen; wir springen darüber oder stampfen darauf herum, durchschneiden ihn, kriechen unter ihm hindurch und schleudern ihn aus dem Weg. Wir können aber auch mit ihm spielen, in ihm herumfliegen und lustige Gebilde hintanzen. Sobald wir "handeln", sobald wir den Raum aktiv erleben, verliert er seine Bedrohlichkeit – wir können ihn gern bekommen.

Henry

Drei Jahre arbeitete ich in einer Klinik in einer etwas gelösteren Atmosphäre, die Patienten waren noch "erreichbar". Eines Morgens beschloss ich, eine Partnerübung zu machen, bei der einer der Beteiligten Kommandos gab, die der andere befolgen sollte. Mit einfachen Bewegungen sollte der Anführer seinen Partner anweisen, zu gehen, zu sitzen, aufzuspringen, zu laufen, die Richtung zu ändern, in die Ecke zu gehen, sich umzudrehen usw. Hatte ein Partner eine Weile den Befehlserteiler gespielt, wurde gewechselt. Da ich von vielen meiner Patienten weiss, wie gut sie das Herumgestossen-werden kennen – aus der Kindheit, von der Schule, von der Klinik – dachte ich, dass es für sie lustig wäre, einmal einem anderen zu sagen, was er tun und wie er sich verhalten soll. Für die meisten Patienten ging alles glatt, es machte ihnen wirklich grossen Spass, sich Bewegungsaufgaben für ihre Partner auszudenken. Wenn jemand zu befehlshaberisch wurde, ermutigte ich seinen Partner, den Gehorsam zu verweigern oder, noch besser, selbst das Kommando zu übernehmen. In den meisten stieg eine gesunde Selbstbehauptung auf und das Gefühl der Macht liess sie Kommandos erfinden, die stark und zweckmässig genug waren, um leicht befolgt zu werden.

Mit Ausnahme eines Paares. Die Frau blieb immer in der Führung; der Mann folgte eifrig ihren Wünschen und wagte nicht einmal, ihr den Gehorsam zu verweigern oder selbst ein Kommando zu geben.
"Warum sagst du zur Abwechslung nicht eimmal, was Hilda tun soll?" fragte ich ihn. Henry lächelte hilflos und sagte, nachdem er einige halbherzige Bewegungen versucht hatte, die mehr wie verzweifelte Bitten um Hildas Zustimmung aussahen, entschuldigend: "Es hat keinen Zweck. Ich bin eben so. Zu Hause sagt meine Frau mir, was ich tun soll. 'Geh und trag die Abfalleimer hinaus – stell den Rasensprenger an – vergiss nicht, Geld heimzubringen – lass dir die Haare schneiden – vergiss nicht, dich zu rasieren, wir sind heute Abend bei Chandlers eingeladen' – Trudi, ich kann diese Übung einfach nicht machen!"

"Willst du es einmal mit mir versuchen, Henry?" fragte ich ihn. "Ich möchte dir ganz gerne eine Weile folgen. Du musst nur grosse, klare Signale geben, damit ich genau weiss, was ich tun soll."

Anfänglich waren seine Kommandos sehr unbestimmt, ich musste richtiggehend erraten, was er wollte. Aber ich drehte mich um, setzte mich hin, sprang auf und folgte seinen Anweisungen, so gut ich konnte. Er wollte seinen Augen nicht trauen. Plötzlich muss er gemerkt haben, wie einfach es war, Befehle zu erteilen, denn er wurde mutiger. Es machte ihm Spass, mich herumzukommandieren. Seine Bewegungen nahmen die Autorität eines Herrschers an, sie wurden in den Raum hinausposaunt. Und sie versetzten mich in hektische Aktivität. Ich rannte, ich schlug Purzelbäume, ich krümmte mich, ich fiel, ich kroch und ich sprang, bis ich erschöpft auf einen Stuhl sank. Wir lachten beide und Henry warf seine Arme um mich.

Ich sah ihn am nächsten Tag nicht. Aber nach seiner plötzlichen Wandlung vom Angsthasen zum Diktator hatte ich auch nicht erwartet, dass er gleich wieder erscheinen würde. Henry brauchte fast eine Woche, um sich von seinem "Trip" zu erholen. Als er dann zurückkam, war sein Benehmen gemässigt, aber in seinen Augen war ein neuer Glanz. Er fing an, mit ungewöhnlicher Konzentration zu arbeiten. Natürlich gab es Rückschläge, aber ein erster Funke eines gesunden Selbstbewusstseins war auf ihn übergesprungen. Seine Bewegungen nahmen langsam Sicherheit an und die Zusammenarbeit mit seinen Tanzpartnern zeigte, dass er seine Wünsche klar ausdrücken konnte.

Am Tag, als Henry die Klinik verliess, stellte er mir seine Frau vor, eine kleine, lächelnde Person mit einer spitzen Nase, die wie ein scharfer Schnabel aussah. Hinter ihrem Rükken zwinkerte mir Henry zu und machte eine komische Bewegung in ihre Richtung, als wolle er sagen "von jetzt an, meine Kleine, wird fifty-fifty gemacht".

Neben der Unfähigkeit vieler, Dingen oder Menschen ins Gesicht zu sehen, sich zu behaupten, trifft man sehr häufig auf die Tendenz, sich zu verstecken. Gerade meine Patienten — sie verstecken ihre Gedanken, sie sprechen nicht über das, was sie empfinden, sie können nicht aus sich heraus treten und sagen "so bin ich, so fühle ich".

Viele von uns gehen zeitlebens mit einem Geheimnis umher. Dieses Sich-nicht-zeigenkönnen oder -wollen kann man im Körper dieser Menschen sehen. Es gibt solche, die ihre Hände verstecken, sie haben sie dauernd in Hosentaschen, unter einem Arm oder auf dem Rücken. Sie verbergen ihren Mund hinter der Hand — hinter beiden Händen. Schultern werden hochgezogen, der Hals wird somit fast unsichtbar, das Becken so eingezogen, dass möglichst wenig von ihm zu sehen ist, Füsse werden versteckt, Kniee und Hinterteile . . . .

Da ich mich immer bemühe, möglichst da anzufangen, wo sich der Patient befindet, beginne ich also mit Versteckspielen. Ich kann nicht verlangen: "zeige dich!", bevor er im Sich-Verstecken bestätigt wird.

Ich denke an die Zeit, da wir als Kinder Verstecken spielten. Einer zählte auf zehn und sagte dann "Ich komme". Wir alle haben uns damals so gut es ging, versteckt. Genau so halten es die Patienten, sie drücken sich in eine Ecke, wickeln sich in den Vorhang, legen sich flach auf den Boden, machen sich klein — eine wunderbare Aufregung bemächtigt sich aller, das Herz schlägt jedem bis zum Hals — bis der Suchende durch ein unterdrücktes Kichern auf einen Versteckten aufmerksam wird.

In Übungen lasse ich die Patienten einzelne Körperteile verstecken. Alles was sie jetzt zu verbergen versuchen — Mund, Hände, Füsse, Rücken — wird ihnen bewusst. Es entsteht Spannung und Bewegung. Bewegung, die ich mit Ausdruck vermischen kann: Zärtlichkeit, Aggression, Wut, Zuneigung. Das ganze wird zu einem Bewegungsablauf, zu einem Tanz

"ich verstecke mich."

Nach diesen Übungen ums Verstecken möchte ich, dass die Patienten lernen, sich zu zeigen.

So mache ich das Studio zu einer riesigen, von Tribünen umgebenen Arena. Ich wähle diese besondere Form des Raumes, weil in ihm einfach kein Platz für ein Versteck ist; innerhalb des riesigen Ringes ist ein Mensch völlig und von allen Seiten sichtbar. Ausserdem enthält die Idee einer Arena Bilder, auf die sich die Patienten beziehen können: der Politiker, der Stierkämpfer, der mit Hölle und Schwefel drohende Prediger, das Mannequin – sie alle sind Personen, die nicht nur gesehen werden wollen, sondern gesehen werden müssen. Einer nach dem anderen bewegen sich die Patienten im Ring. Wie eine Grossaufnahme in einem Film zeigen wir der Gruppe, der Welt, dem Kosmos eine Hand, eine Nase, den Menschen von vorne, von der Seite, von hinten – komisch, dramatisch, böse, schön, harmonisch – in allen Varianten, bunt und schillernd. Es kommt der "König" und hebt stolz sein Haupt mit der Krone, es kommt der Fackelträger, der sein Licht aller Welt sichtbar hoch erhoben trägt, der General mit herausgestellter, ordenbehangener Brust . . . Jeder denkt sich einen Grund aus, warum er sich zur Schau stellen will.

Wenn unsere Arena zum Zirkus wird, imitieren die Patienten Artisten: Menschen, deren Erfolg von ihrer Kunst, sich darzustellen, abhängt. Im Zirkus besteht kein Zweifel darüber, wer jeder ist, und welche Art Kunststücke er ausübt. Jede Bewegung ist auf sofortige Verständigung zugeschnitten, jeder dieser Zirkusartisten beherrscht den Raum mit seinem Körper. Seine intensive Konzentration erzwingt die Konzentration des Publikums – sein gesamter, von Leben erfüllter Körper zieht die Aufmerksamkeit auf sich.

Nach anfänglicher Unsicherheit gewinnen die Rollen Macht über die Patienten und Dompteure, Clowns, Seiltänzer und Akrobaten werden sichtbar. Ich sehe Einzelne sich im Raum bewegen, wie sie nie vorher sich bewegten. Ich sehe, wie sie ein neues räumliches Verhältnis entwickeln und mehr und mehr beginnen ihre Gebärden die Rollen, die sie darstellen wollen, auszudrücken.

Ich bin überzeugt, dass diese Art der Arbeit fast immer einen Kontakt mit dem Individuum herstellt. Sie führt zu einer Reaktion und erweitert sein Raumvokabular. Und jede seiner Reaktionen ist eine Antwort, eine wichtige Quelle der Information. Wie oft hätte ich gewünscht, ein Arzt wäre anwesend gewesen, wenn ein Patient plötzlich sein Bewegungsschema änderte oder eine neue Gefühlsreaktion zeigte oder unerwarteterweise anfing, darüber zu reden! Es besteht kein Zweifel, dass Bewegung zu neuen Körpererfahrungen führen kann, die ihrerseits neue Gemütserfahrungen hervorrufen können und somit der psychiatrischen Untersuchung neues Material liefern.

Habe ich eine Methode?

Viele Jahre Arbeit haben mir gezeigt, dass ein gewisses Mass an Strukturierung der Lektionen eine grosse Hilfe ist. Ich denke dabei vor allem an einen künstlerischen Aufbau mit einem Anfang, einem Höhepunkt und einem Ende, durch den sich eine Idee wie ein roter Faden zieht, die Stunde sich zu einer zusammenhängenden Geschichte entwickelt. Der rhythmische Ablauf, ein thematischer Bogen einer melodischen Linie gleich, Aussage, Gestaltung liegen mir am Herzen.

Es gab eine Zeit, in der ich mich bemühte, Tanztherapie "wissenschaftlich", "klinisch" zu betreiben. Nicht lange. Bald erkannte ich, dass es nur ein Ausgehen von der künstlerischen Gestaltung her geben konnte, um meinen Patienten und Schülern zu begegnen. Denn sie alle, so glaube ich, tragen künstlerische Begabung in sich. Ja, ich bin überzeugt, dass jeder Mensch auf dieser Erde ein Künstler ist. Es scheint mir undenkbar, dass wir Menschen an diesem unerschöpflichen Formwillen, an der unendlichen Gestaltungskraft, die uns umgibt, nicht teilhaben müssen.

Von mir weiss ich, dass ich mich gesund getanzt habe, als ich versuchte, meine Angstfantasien, meine Zwänge zu formulieren. Als ich versuchte, meine Gefühle zu ver-körpern und mich zu zeigen, wie ich war, mit allem Bösen in mir, allem Grausamen. Indem ich alle meine Seiten im Tanz ausdrückte, lernte ich sie akzeptieren, ich erlebte das Böse, das Dunkle in mir als einen lebendigen Teil meines Selbst. Ich möchte, dass meine Patienten dies auch können. Und so lasse ich alle diese kleinen und grösseren Teufel am Anfang einer Stunde zuerst einmal in Erscheinung treten – jetzt, hier.
"Mein Teufel ist eine Kratzbürste", sagte einer meiner Patienten und stellte ganz vortrefflich mit seinem ganzen Wesen eine Kratzbürste dar. "Mein Teufel ist ein Blahh! Er ist dick und unförmig, zäh und klebrig", "Meiner ist neidisch, so neidisch!" – "Meiner rennt und rennt, hat nie Zeit, gar nie Zeit, aber im Vorbeirennen macht er allen und jedem eine lange Nase". – Dann war da ein Mann, dessen Teufel ganz konventionell mit zwei Hörnern, einem peitschenden Schwanz und einem Klumpfuss herumschlich. Es ist doch interessant, wie gut wir um das "Böse" in uns Bescheid wissen!

Auf welche Weise durchleben jetzt meine Patienten diesen Prozess, der mir selber so sehr half? Ich versuche, ihnen das gleiche Erlebnis zu vermitteln, welches mich von meinen Ängsten befreite: Ein Traum, der uns nicht loslässt, Geschichten, die nie enden, Gefühle, die uns gefangen halten, Fantasien, die uns plagen, Stimmen und Gesichter, die uns verfolgen, Ängste . . . . Ängste – wir versuchen sie zu gestalten, rhythmisch, räumlich zu gestalten, sie bewegungsmässig sichtbar, hörbar zu machen.

Schon allein mit der Preisgabe eines Geheimnisses ist ein grosser Schritt getan. Wir sind nicht mehr allein mit ihm. Wenn wir uns darüber hinaus noch bemühen, unsere Nöte der ganzen Welt verständlich zu machen, sie zumindest zu formulieren, sie auszudrücken, irgendwie, dann, so glaube ich, tritt die Umkehrung ein, von der ich zu Anfang gesprochen habe. Die Fantasie hat uns nicht mehr in ihrer Gewalt – die Wut hält uns nicht mehr gefangen. Wir haben Fantasie – wir sind wütend.

Ob der Mensch seine künstlerischen Wesenheiten leben darf, hängt vielleicht gerade davon ab, ob er zu seinem Mensch-Sein, zu seinem In-der-Welt-sein, zu *seinem Da-sein JA sagen kann.*

Erst wenn er sich selber Liebe gönnt, ist der Mensch imstande, sie in sich zu tragen und sie weiter zu geben, dem Nächsten, der Welt.

ZWISCHEN ZWEI WELTEN

Improvisation und Formulierung

Freundschaft mit Drachen schliessen

Im Verlaufe des Bekanntwerdens mit den Elementen des Tanzes hat der Patient sein körperliches Sein besser kennen gelernt. Seine Bewegungen beginnen selbstsicherer und zweckmässiger zu werden. Ausserdem hat sein Körper erfahren, dass Gemütsbewegungen im allgemeinen durch den Körper ausgedrückt werden können. Nun kann er auf dem Weg zum Verstehen seines eigenen, fühlenden Selbst weitergeführt werden. Er ist zur Improvisation bereit.

Die Improvisation ähnelt dem absichtslosen Kritzeln auf Papier – sie ist eine Art Dudeln mit dem Körper – ein Vorgang der freien, wortlosen Assoziation, während der jeder Einzelne seinem Körper erlaubt, sich ohne Willensanstrengung und Hemmung zu bewegen. Das Ausschalten der Kontrolle erlaubt, dass Gefühle, die seit langem im Unterbewusstsein ruhten, hervorbrechen. Es kann eine überwältigende Erfahrung sein, wenn der Körper plötzlich eine lange zurückgehaltene Trauer, eine versteckte Wut, eine uneingestandene Angst oder ein verdrängtes Zärtlichkeitsgefühl zum Ausdruck bringt. In solchen Durchbrüchen sagt uns unser Körper etwas über Gefühle, von deren Vorhandensein wir nichts ahnten. Und es gibt keinen Zweifel an der Echtheit dieser Gefühle.

Wer eine derartige Erfahrung erlebt hat, ist danach eine zeitlang seelisch erschöpft. Vorübergehend nimmt er eine neutrale Stellung ein, von der aus er sich selbst unparteiisch betrachten und die Gewalt des neu aufgetauchten Gefühlsausdrucks seiner augenblicklichen Realität gegenüberstellen kann. Das Erkennen der Kluft zwischen den beiden kann zu weiterer Selbsterfahrung und dem bewussten Verlangen nach Veränderung führen.

Bei dem Versuch, diese ganze Theorie in die Praxis umzusetzen, ist es mein erstes Bemühen, dem Betreffenden die Freiheit seines Körpers wieder zu geben – die Freiheit, die er verlor, als er begann, das Verhalten des Körpers zu zensieren. Aber es ist nicht leicht, diesen geistigen Mechanismus abzuschalten. Wie kann ich diesen Körper zum selbständigen Handeln, die intellektuelle Kontrolle zum Abschalten veranlassen?

Ich fordere den Betreffenden auf, sich bequem hinzusetzen und seine Aufmerksamkeit nach innen, in den Körper hineinzulenken, seinen Herzschlag, seine Atmung, sein gesamtes körperliches Sein zu fühlen. Dann muntere ich ihn auf, seinem Körper zu erlauben, sein Verhalten zu ändern, sobald er das Bedürfnis dazu verspürt. Auf diese Anweisung mag eine lange Zeit des Abwartens folgen, aber früher oder später wird der Körper anfangen, sich zu bewegen. So erstaunlich es erscheinen mag – er wird sich auf eine Art bewegen, in der er sich vorher nicht bewegt hat.

Je länger ein Mensch die Abwesenheit einer geistigen Kontrolle aushalten kann, umso mehr werden Gefühle frei, die sich in Bewegung umsetzen. Auf diese Art kann es geschehen, dass jemand plötzlich seinen Körper weinen hört, sieht, wie sein Körper zuschlägt, fühlt, wie sein Körper fällt oder läuft . . . . läuft. In diesen körperlichen Ausdrücken steht der Mensch sich selbst gegenüber. Er ertappt sich auf frischer Tat.

Es ist aufregend, zu erfahren, wie viel mehr in uns ist, als wir je ahnten. Aber es gibt noch einen Grund für das Gefühl des Wohlbefindens nach einem solchen Erlebnis: Welches Gefühl auch durch den Körper zum Ausbruch kommt, er drückt es aus, ohne dabei in Konflikt zu geraten. Dieses eine Mal hat er sich den Luxus erlaubt, ein Gefühl rückhaltlos zum Ausdruck zu bringen.

Lily

Lily war vierundzwanzig Jahre alt, sah aus wie vierzehn und benahm sich wie ein Baby. Verwirrung und Gestört-Sein war über ihren ganzen Körper geschrieben. Die Strümpfe ringelten sich abgerutscht um die dünnen Kinderbeine, ihre Bluse wurde von einem letzten daran befindlichen Knopf zusammengehalten. Das verfilzte Haar fiel ihr in Stirn und Augen und die schmutzige Stoffpuppe, die sie immer bei sich trug, baumelte an einer Hand oder wurde unter den Arm geklemmt. Lilys Mitteilungsbedürfnis erstreckte sich auf zwei Ausdrücke: "ich will" und "ich will nicht". Ihr Betteln wurde von den einzigen zwei Worten begleitet, die je aus ihrem Munde kamen: "Sag ja!" Und ihre Ablehnung wurde durch langgezogene, einem Nebelhorn ähnliche Töne laut.

Lily war in einer der Nachmittagsklassen und jeden Morgen arbeitete ich mit ihr allein. Am Anfang gab es überhaupt keine Möglichkeit zu einer Gestaltung unserer privaten Sitzungen. Ich folgte ihr in allem, was sie anfing, was gewöhnlich sehr wenig war. Aber manchmal lief sie ein wenig herum und lächelte oder sie hopste ein wenig herum und lächelte. Diese Handlungen wurden von häufigen Gängen zur Toilette unterbrochen. Sie sass dann vollkommen angezogen auf dem Sitz und machte sich durch und durch nass. Dabei zog sie die rechte Brust aus der Bluse und saugte daran. Nach einer Weile stopfte sie die Brust wieder in die Bluse und stand auf. Ich versuchte, sie notdürftig zu säubern und wusch ihre Hände und Beine. Während der ganzen Zeit gab Lily ein leises Schnurren kindlicher Zärtlichkeit von sich.

Eines Nachmittages forderte ich die Patienten in Lilys Klasse auf, so durch den Raum zu gehen, wie es ihnen gerade einfiel; wenn sie aber fänden, dass ihr Körper sich anders bewegen wollte, dann sollten sie ihn das ruhig tun lassen. Eine lange, lange Weile wanderten sie alle im Saal umher. Dann wurde jemand schneller, ein anderer langsamer, jemand begann, mit den Armen herum zu fuchteln, jemand anders drehte sich im Kreise herum. Dieser setzte sich hin – jener legte sich hin. Man hörte jemanden weinen und jemanden lachen. Lily ging und ging . . . . – mit einem ausdruckslosen Gesicht, als ob sie in Trance wäre. Plötzlich schrie sie auf, wirbelte herum und kam auf mich zugerannt. Sie warf ihre Arme um mich und schrie: "Ich habe Angst, ich habe Angst! Ich will mein Mami!" Ich hielt sie im Arm, bis ihr Schreien aufhörte, dann fasste ich sanft ihre Hand und ging mit ihr durch den grossen Saal. Langsam beruhigte sie sich. – Und morgen würden wir da anfangen, wo wir heute aufgehört hatten.

Obgleich Lilys infantiler Zustand seit langem offensichtlich war, hatte ihr Körper an diesem Tag das Dringliche ihrer seelischen Not neu hervorgebracht. Und Lily hatte diese Not in einem ganz normalen Ausbruch realistisch dargestellt und in entsprechende Worte gefasst. Wenn die Not eines Menschen auf solche Weise körperlich wird und so durch den Körper zum Ausdruck kommt, hat die Improvisation ihren hauptsächlichsten Zweck erfüllt. Es hat keinen Sinn, sie dann fortzusetzen, denn, ganz gleich, wie oft der Körper ein Gefühl "zugibt", er wird immer wieder dasselbe Gefühl zum Ausdruck bringen. Obwohl Energie und Affekt vorübergehend entladen wurden, werden sie sich erneut ansammeln . . . . um sich wieder zu entladen . . . . sich wieder anzusammeln. Dies kann zu einem passiven, die Situation akzeptierenden Kreislauf werden, ohne dass dabei das Problem eine Veränderung erfährt.
Die Zeit ist nun reif, dass der Betreffende seinen subjektiven, für ihn neuen Gefühlen eine objektive, ausdrückliche Gestalt gibt, wobei er selbst das Werkzeug dieser Gestaltung ist. Er gestaltet seine Gefühle, indem er sich einen Rahmen schafft, Bewegungen

Alice

wählt, ihnen einen bestimmten Rhythmus, eine Spannung verleiht und so die Oberhand über seine Gefühle gewinnt, die ihn bis jetzt in ihrer Gewalt hatten.

Die Patienten wählten viele Formen des Tanzens, um mir ihre Gefühle, ihre Konflikte, ihre Verwirrungen, ihre Fantasievorstellungen zu zeigen. Hass wurde in einem Tango gestaltet. Die erste Bewegung war ein kurzes Stampfen, auf welches schroffe Drehungen und ausschlagende Armbewegungen folgten, die in einer zusammengekauerten, drohenden Stellung endeten. Ein Mann zeigte seine Isolation in einem weiten, immer enger werdenden Kreis, in einer immer mehr und mehr die Umwelt ausschliessenden Spirale, in die er sich in der Mitte des Raumes stehend, einschloss. Sein Titel: Ich bin allein. – Das Gefühl des Verlorenseins wurde von einer Patientin durch suchende Bewegungen geschildert, sie lief von einer Richtung in die andere, drehte sich verwirrt und suchte erfolglos nach einem Ausweg. Die Verzweiflung dieser Frau wurde plötzlich durch die spontane Reaktion einer anderen Patientin gelöst, die sie aufmerksam beobachtet hatte. Mit unmittelbarer Selbstverständlichkeit ging sie zu der Verlorenen hin und führte sie geradewegs aus ihrer Verwirrung in einen Sessel.

Alice

Als ich Alice zum ersten Mal sah, sass sie völlig aufgelöst und weinend im Saal der Klinik. "Sie wollen mich nicht zu meinen Freunden auf der Venus lassen", schluchzte sie. "Das haben sie gesagt, das wollen sie nicht! Sie haben gesagt, darum geben sie mir Elektroschocks!" –
Während unserer Zusammenkünfte in den darauffolgenden Wochen sprach Alice oft von ihren "lieben Freunden dort oben".
"Wie wäre es, Alice", frage ich sie eines Tages, "wenn du uns allen hier in der Gruppe erzählen würdest, wie deine Freunde aussehen, was sie tun und warum du sie so gern hast?" – "Ja", begann sie zögernd, "sie freuen sich alle so, wenn ich zu ihnen auf Besuch komme. Und manchmal gibt Clandestine mir einen Kuss".
Niemand in der Gruppe musste gesagt bekommen, was zu tun war. Ungeschickt, aber liebevoll gaben sie Alice die Hand. Sie streichelten sie. Sie lächelten ihr zu. Diese Zeichen der Zuneigung taten ihr wohl, sie setzte ihre Beschreibung fort: "Sie liegen auf goldenen Kissen . . . . sie trinken aus goldenen Bechern . . . auf goldenen Flügeln fliegen sie umher. Sie haben goldene Drachen, die sind so freundlich, man kann mit ihnen spielen und auf ihnen reiten." Und Alice begann ihrer willigen Truppe Unterricht zu geben, wie diese schönen Wesen sich bewegten und flogen, tranken und spielten.
"Und immer klingen die Glöckchen . . . diese zarte Musik, die der Wind macht . . . . und die habe ich hier noch nie gehört". –
Ich holte meine Glöckchen, das Triangel und den Gong hervor. Bald war der Raum von köstlich-seltsamen Tönen erfüllt, Bewegungen und Klänge entwickelten sich zu einem himmlischen Reigen, welcher in eine fliessende, fliegende Art Tanz überging. Jeder gab sein Bestes, höflich und freundlich und – golden zu sein!
Selten habe ich einen Regisseur gesehen, der sein Ensemble so überzeugend leiten konnte und Darsteller, die sich so leicht in seine Vorstellungen hinein versetzen konnten.

Alice hatte uns ein liebliches Fantasiebild geboten, dem wir folgen konnten. Aber es gab auch schreckliche Bilder: Ungeheuer mit grässlichen Gesichtern, ein wilder Tiger, dessen Schwanz sich in unheimlichen, geometrischen Mustern krümmte, ein wutentbrannter Gott mit feurigen Augen, eine Gruppe düsterer Gestalten mit schwarzen Kapuzen, die mit blitzenden Messern bewaffnet waren. Mir wurde gezeigt, wie beängstigend diese Er-

scheinungen sich bewegten, wie bedrohlich sie sprachen und ich hörte auch, was für schreckliche Dinge sie von ihren Untertanen verlangten.

Was der Inhalt oder der psychologische Ursprung der Verwirrung des Patienten auch sein mag, die bildliche Darstellung führt zu drei gültigen Ergebnissen:

1. Es wird ihm ermöglicht, das Geheimnis der Verwirrung mit Anderen zu teilen, es ans Licht zu bringen und zu bewältigen. Er hat die Macht dieser Geheimnisse, sein Dasein zu beherrschen, zerstört.
2. Beide Seiten des Daseins werden erlebt, er kann die Wirklichkeit mit der Fantasie-Vorstellung vergleichen. Alice wusste in jener Sitzung, dass sie sich im Saal der Klinik und nicht auf der Venus befand und dass sie von der guten alten Betty und nicht von Clandestine einen Kuss bekam. Aber verhielten sich diese Erdmenschen ihr gegenüber denn nicht ähnlich wie die Freunde auf der Venus? Vielleicht war es gar nicht nötig, auf einem anderen Planeten Zuflucht zu suchen. Vielleicht war die Wirklichkeit am Ende gar nicht so schlimm!
3. Weil die körperliche Darstellung der Fantasiewelt eines Menschen ständige Bewertung beider Seiten erfordert, kann er das gesunde Gleichgewicht zwischen Fantasie und Wirklichkeit entdecken.

Machen Künstler nicht genau denselben Vorgang durch? Bewegen sie sich nicht mit Leichtigkeit zwischen zwei Welten, wenn sie einem Flug ihrer Fantasie in einem Gedicht, einer Symphonie, einer Skulptur, einem Tanz Gestalt geben? Es würde uns doch nicht einfallen, dem Künstler das Sehen oder Hören der Bilder seiner Fantasie zu verbieten oder das fantasievolle Spiel eines Kindes zu verhindern? Und so glaube ich, dass wir, anstatt die Fantasie eines Geistesgestörten zu unterdrücken, eine Weile mit ihm fliegen und dann mit ihm zusammen für eine sichere Landung auf dieser Erde ansetzen sollten. Indem er seinen Fantasievorstellungen Gestalt verleiht, schafft er ein Werk, das Fantasie und Wirklichkeit vereint.

Hier möchte ich von zwei Begegnungen erzählen, die eindrücklich das Nebeneinander von Fantasie und Wirklichkeit und die Notwendigkeit, in und mit der Fantasie leben zu können, darlegen.

Jacobo

In einem Institut in Italien stiess ich auf ganz wunderbare Bilder, die, wie man mir sagte, von einem 19jährigen Jüngling gemalt worden waren. Ich kannte diesen jungen Mann damals noch nicht persönlich, doch seine Bilder faszinierten mich so, dass ich gerne gewusst hätte, wie etwas aussah, das so grossartig malen konnte . . . .

Eines Tages stellte ihn ein Arzt mir vor, mit den Worten: "Das ist unser Jacobo, dessen Bilder Du so sehr liebst." – Ich machte ihm einige Komplimente und sagte ihm, dass mir seine Bilder ausnehmend gut gefielen. Ich fragte ihn, was er gegenwärtig mache und ob er noch immer male. Er erzählte mir, dass er jetzt in einer Werkstatt arbeite und in einem Monat eine Ausbildung als Kellner anfangen könne. Und malen? Malen, nein, das müsse er jetzt nicht mehr – es gehe ihm jetzt ja gut, malen müsse er nur, wenn es ihm schlecht gehe. –

Marc

Marc wurde – er war ebenfalls 19 Jahre alt – in einem schrecklichen Zustand in das Spital eingeliefert, in welchem ich gerade arbeitete. Nach einiger Zeit wurde er einer meiner

Schüler und ich erfuhr, dass er grosse Mengen LSD eingenommen hatte. Er war in einer Gruppe Drogensüchtiger, die ihrer vierzehn eines Tages in unserem Arbeitsraum erschienen. Sie spielten schlacksige Überheblichkeit mit wegwerfender Nonchalance und schienen sich zu fragen, was diese alte Tante sie wohl lehren könne. "Nichts, gar nichts", musste ich ihnen gestehen. Diesen Masken höhnischer Herablassung konnte ich wirklich nichts bieten. Sie würden nicht annehmen können, was ich zu bieten hatte. So bat ich sie zumindest, sich zu setzen. Sie taten es seufzend und sehr langsam . . . . Ich erzählte ihnen von meiner Herkunft vom Modernen Tanz und vom Ballett und dass ich glaube zu fühlen, dass ihnen diese Art Tanz keine Freude machen würde. "Wenn Ihr tanzt, wie tanzt Ihr? Was macht Euch Freude?" – "Rock'n Roll" sagten einige süffisant. Also Rock'n Roll. – "Habt Ihr Platten?" – "Jaaaaaa!" und damit waren alle verschwunden um kurz darauf wieder mit Stössen von Platten zu erscheinen. Nun musste ich ihnen gestehen, dass ich von Rock'n Roll keine Ahnung hatte, dass ich aber glücklich wäre, wenn sie mir zeigen könnten, wie man Rock'n Roll tanzt. Nach zwei Monaten harten Trainings war ich soweit. Ich hörte viel gute Kritik. "Trudi, lass Deinen Kopf gehen" – "Gib doch endlich Deine verdammte Kontrolle auf" – "Weisst Du überhaupt, dass Du Hüften hast und dass Du Dein Becken, Deinen Popo bewegen kannst?" Jeder dieser jungen Männer lehrte mich in einer ganz besonderen Weise, mein "grosses Ich" zu vergessen, statt Haltung zu bewahren, lehrten sie mich, Haltung zu verlieren.

Sie haben mir gezeigt, wie man sich in die pulsierenden Schläge ihrer Rhythmen, die das Triebhafte im Menschen nicht nur ausdrücken, sondern es in bejahender Weise leben lassen, fallen lassen kann.

Eines Tages stellte sich der Sprecher der Gruppe vor seine Leute und sprach zu mir: "Jetzt kannst Du Rock'n Roll tanzen, Du hast das Examen bestanden. Wir haben Dir gezeigt, was wir können und was uns Freude macht. Zeige Du uns nun, was Du kannst und was Dir Freude macht."

Und damit brach eine wunderschöne Zeit der Zusammenarbeit an – wir taten das, was ich unter "Tanztherapie" verstehe. Und nach einer solchen Stunde erzählte mir Marc von seinem Erlebnis nach einer Dosis LSD:
"Es ging mir wieder einmal sauschlecht. Die Mutter hatte mir am Morgen eine ihrer hinlänglich bekannten Moralpredigten gehalten. 'Tu doch endlich etwas Nützliches – sitz nicht immer in deinem Zimmer, mit verschränkten Armen träumend. Du hast musikalisches Talent, übe, übe! – Du wirst es nie zu etwas bringen, wenn das so weitergeht usw. Setz dich jetzt ans Klavier!' –
Ich habe mich nicht ans Klavier gesetzt, sondern einen Freund angerufen und wir sind zusammen ans Meer gefahren. Es war ein schöner Tag mit einem strahlend blauen Himmel. Ich sass im Sand am Rande der Unendlichkeit des Ozeans, nahm eine gute Portion LSD und schaute in die Ferne. Das Meer war weit und tiefblau, die kleinen Wellen plätscherten ans Land. Ich muss langsam hinüber gedämmert sein ins Reich der Fantasie, denn die kleinen Wellen, die am fernen Horizont auftauchten, wurden zu Linien, auf denen kleine, höchst zierliche Notenköpfchen balancierten. Immer mehr dieser Noten tauchten am Horizont auf, immer näher tanzten sie an mich heran, beinahe mich bedrängend. Unablässig aber tönten und klangen und sprachen die Noten in melodischen Rhythmen. Es war ein spielendes, rauschendes Meer, ein Meer, das meinen Kopf, meinen ganzen Körper zitternd durchdrang. Plötzlich – ein gellender Schrei, und alles war still und tot. Eine bleierne Masse wälzte sich schwerfällig heran und drohte, mich in die Tiefe zu reissen. Eine unsägliche Angst überkam mich und ich wachte auf."

So habe ich den Trip des jungen Mannes aufgeschrieben. Wir sprachen damals noch oft von diesem Traumgebilde und ob er wohl eine Botschaft darin fände. Und wir sprachen darüber, ob er versuchen könnte, diese Traumnoten in Klavier- oder Orchesternoten umzusetzen. Er hat es getan. Es wurde eine Barkarole daraus. Er hatte sie zuerst für das Klavier aufgeschrieben, dann sang einmal ein Mädchen dazu und schliesslich wurde sein Werk zum Spitalsong mit einem Text vom Komponisten. Manchmal fiel eine Flöte mit ein oder ein Cello. Das Glück dieses jungen Menschen war unbeschreiblich, wann immer er seine Barkarole hörte.

Marc wurde bald darauf aus dem Spital entlassen und ist nie mehr rückfällig geworden. Viel später trafen wir uns einmal. Er sagte zu mir: "Weisst Du, ich kann jetzt fantasieren, ohne Drogen zu nehmen. Ich weiss, dass ich träumen darf, auch wenn meine Mutter es mir verboten hat. Ich denke, viele Menschen haben einfach Angst vor der Fantasie, vor einer Welt, die wir nicht beschreiben können. Aber ich weiss jetzt, dass man Fantasien auch verwirklichen kann, dass man sie auch für andere erlebbar, oder wie in meinem Falle, hörbar machen kann. Dann hat man plötzlich keine Angst mehr. Zurück bleibt nur noch eine grosse Freude."

Jeder dieser Fälle bestätigt meine Ansicht, dass der gesunde Mensch bereit sein muss, beide Daseinsebenen zu leben.

Der Tanz

Hat er wirklich Heilkraft?

"Wenn Sie meinen, dass der Tanz eine therapeutische Wirkung hat, wie kommt es dann, dass ein grosser Tänzer wie Nijinsky geisteskrank wurde?" Diese Frage wird von Tanz-Therapie-Skeptikern oft gestellt. Ich glaube antworten zu dürfen, dass das klassische Ballett nicht den persönlichen Ausdruck des Tänzers will, sondern Schönheit, Virtuosität und die Beherrschung einer ungemein schwierigen Körpertechnik verlangt. Thema – Geschichte – Stil, die Grundschritte und Kombinationen sind gegeben. Jahrelanges, unermüdliches Üben und unerbittliche Selbstdisziplin sind Voraussetzungen für die Beherrschung komplizierter Formen und Muster. Der Tänzer kann seine Persönlichkeit nur innerhalb der Grenzen dieser vorgeschriebenen Strukturen entwickeln. Um sein unglaubliches technisches Können zu erreichen, muss es für Nijinsky fortwährend notwendig gewesen sein, seine emotionellen Konflikte zu unterdrücken. Ein Leben zwischen Training und Auftritt muss ihm verschwindend wenig Gelegenheit gegeben haben, zu zeigen, wer er wirklich war oder was er wirklich fühlte. Die brillante Ausführung dreier Tours en l'air konnte ihn nicht von seinen Ängsten befreien oder eine Lösung seiner persönlichen Probleme herbeiführen. Was sie tun konnten und taten, war, zu demonstrieren, welch wunderbare Beherrschung er über seinen eigenen Körper hatte. In einer unter Zwang stehenden Gesellschaft beherrschte er eine Methode des Zwangs. Er musste den "Menschen" verleugnen, um der "Tänzer" zu werden.

Meine Tänzer werden nur den technischen Anforderungen ausgesetzt, die sie benötigen, um das auszudrücken, was sie ausdrücken wollen. Der einzige "Stil", den sie lernen, liegt in meiner Vorstellung eines idealen Körpers. Sie schaffen sich einen funktionellen Körper und eine eigene Form, in welcher sie ihre Gefühle oder ihre Geschichte erzählen.

Es war faszinierend, ab und zu mit Patienten zu arbeiten, die Tänzer waren. Ihre seelischen Störungen mögen im Anfang schwerer zu erkennen sein, einfach deswegen, weil sie sich geschickter bewegen, bessere Koordination haben, sich beeindruckender geben und im allgemeinen ihren Körper gekonnter als der Durchschnittsmensch gebrauchen. Aber bei näherer Betrachtung stellt es sich dann heraus, dass eben diese technische Fertigkeit eine perfekte Fassade, eine ideale Verteidigung sein kann, hinter der sich das Gestörtsein eines Menschen umso sicherer verbirgt.

Hanna

Hanna wurde mir von einem Psychiater für private Stunden zugewiesen. Sie war ein wunderschönes Mädchen mit einer ausgezeichneten Ausbildung in Modernem Tanz, ihre Bewegungen waren exquisit fliessend und vollendet. Sie sah aus wie eine Göttin – heiter, gelassen, weit über Gut und Böse erhaben. Ich wusste, dass ich diese einsame Göttin zur Erde zurückholen musste, um ihr zu ermöglichen, nicht nur Harmonie, sondern auch Konflikte zum Ausdruck zu bringen, kurz gesagt: sie zu ihrer eigenen Wahrheit zu führen.

Während ich mit Hanna arbeitete, sah ich, dass sie eine Art magischen Kreis um sich zog und innerhalb seiner Grenzen isoliert blieb. Nichts oder niemand konnte die Grenzen dieses Kreises durchbrechen und es gab auch keine Möglichkeit für sie, darüber hinaus zu reichen. Ihre Hände waren immer in Abwehrposition: angewinkelt, mit ihren Armen dem Raum ein scharfes Halt gebietend. Ihre Mitte war verkrampft und liess keine Lockerung zu. Innerhalb des von ihr abgesteckten Kreises hatte sich gewiss nie ein persönliches Gefühl hervorgewagt. Ihre Bewegungen waren "nur schön" – es war herrlich langweilig, sie anzusehen. Hanna musste diesen begabten Körper befähigen, den einmal gezogenen Kreis zu durchbrechen und über ihn hinauszureichen. Sie musste den eingeklemmten Brustkorb und das Becken lockern, um das unbewegliche Zentrum aus der Verspannung zu lösen und die unzweckmässige Abwehrposition einzureissen, die von diesem traurigen Kreis symbolisiert wurde. Es fiel Hanna schwer, ihre Schutzmassnahmen aufzugeben. Sie redete, sie wehrte sich, sie weinte – aber ich blieb unerschütterlich im Glauben, dass sich das Verhalten ihres Körpers ändern müsse, um seinen Gefühlsinhalt zu verändern.

Während einer langen Phase der Improvisation begann Hanna ihr altes Idealbild zu zerstören. Es kam die Zeit, in der sie die gekünstelte Form, die virtuosen Fertigkeiten ablegen konnte. Als sie anfing, den bisher unterdrückten Gefühlen Gestalt zu geben, waren die von ihr entworfenen Tänze ursprünglich und ausdrucksvoll. Verzerrung und Dissonanz waren jetzt Teil ihres Repertoires, der sich gegen die Harmonie abhob. Jetzt war Hanna frei und konnte der Welt jede Seite ihres Wesens zeigen. Sie musste sich nicht mehr hinter einer Haltung verstecken, die ihren wahren Gefühlen fremd war. Sie hatte eine weit faszinierendere Form gefunden, ihre Kompositionen waren nun ehrliche Ausdrücke ihrer Gefühle und als solche befriedigten sie die Tänzerin und fesselten den Zuschauer. Die Göttin war von ihrem Sockel gestiegen und Mensch geworden.

Georg

Etwa ein Jahr später wurde mir wieder ein Tänzer zugewiesen. Georgs Ausdrucksweise war anders als die Hannas, genau das Gegenteil. Statt sich hinter einer Form zu verstekken, gebrauchte er seine tänzerische Gewandtheit, um seine Konflikte voll herauszustellen. Sein Körper wiederholte immer wieder die gleichen Bewegungen, er strebte in alle Richtungen zugleich und auf jegliche Weise: staccato, stossartig und immer auf vollen Touren. Von unruhigen, zuckenden Bewegungen geschüttelt, schien er sich in Stücke zu reissen und seine verstümmelten Körperteile auf den Boden zu verstreuen.

Als Georg das erste Mal in meiner Klasse improvisierte, applaudierten die anderen Teilnehmer spontan. Aber im Verlauf der Zeit konnten wir alle sehen, dass er auf jedes Thema, das ich anregte, mit genau der gleichen Ausführung antwortete. Die Gruppe verlor allmählich das Interesse an seinen Vorführungen, sträubte sich dagegen und lehnte schliesslich den Tänzer ebenso wie den Menschen ab. Seine Wiederholung der gleichen subjektiven, sterilen Form war lediglich eine zwangsmässige Eigenheit, ganz gleich, wie glänzend sie ausgeführt wurde.

Da ich Georgs Bedürfnis, seinen Konflikt zur Schau zu stellen, nicht unterdrücken wollte, gab ich ihm nach und forderte stärkere Spannung, ein schnelleres Tempo, mehr des Auseinanderziehens in alle Richtungen, mehr widerstrebende Verzerrungen. Ich trieb ihn auf den Punkt zu, an dem er selbst feststellen konnte, wie hoffnungslos er in der gleichen Bewegungsart festgefahren war. Wenn ich am Anfang auf sofortige Veränderung gedrungen hätte, wäre seiner Liste nur ein weiterer Feind hinzugefügt worden. Was ich tat, war, ihm die Unterstützung zu geben, die er brauchte, um die Zwecklosigkeit seiner realistischen Opposition einzusehen.

Etwa zu jener Zeit stellte ich ihm eine Aufgabe. Ich bat ihn um eine Darstellung, eine Choreographie seines Zustandes. Wochenlang arbeitete Georg allein, von nur einem Mit-

patienten unterstützt, der bei den ziemlich komplizierten Licht- und Geräuscheffekten half, die Georg in seine Szene einbauen wollte.
Ich war der einzige zur Premiere geladene Gast. Er nannte seinen Tanz "Blendwerk". Sein Kopf erschien am Boden unter dem Vorhang in der Mitte der Bühne. Die Augen dieses Kopfes veränderten ihre Blickrichtung in einem tollen Staccato: Auf! Ab! Seitlich! Hin und Her! Langsam kroch das ganze Geschöpf hervor, Körper und Glieder übernahmen die von den Augen begonnenen ruckartigen Bewegungen.Während dieser zerrissene Körper sich bemühte, auf die Füsse zu kommen, sah Georg sich von gigantischen Schatten, die von den eingebauten Lichteffekten stammten, umgeben. Diese Fantome seines verzerrten Selbst wurden seine Gegenspieler in einem wütenden Kampf, in dem er rasend um seine eigene Identität rang. Er griff diese Geisterkörper einen nach dem anderen an. Er schoss auf sie, er würgte sie, er zerfetzte sie, schlug sie zu Boden und trampelte sie zu Tode – bis nicht eines der Gespenster übrig blieb. Die ganze Szene wurde von ohrenbetäubenden elektronischen Geräuschen untermalt, die das Ende der Ungeheuer symbolisieren sollten. Als diese Fantasiegebilde verschwunden waren, trat Stille ein – die Zeit stand still. – In diese Leere tönte Georgs Herzschlag heftig pochend durch den Lautsprecher, Ruhe und Kraft begannen in seinen erschöpften Körper zu fliessen. Das Hämmern des Herzens liess nach und ging über in einen sanft pulsierenden Rhythmus. Wie er da stand, strahlte seine ganze Haltung Frieden und Einmütigkeit aus. Er wandte sich langsam um, sah auf die Szene seines Sieges zurück, sicher in der Gewissheit, dass seine Fantome, die Symbole seines Konflikts, ihre Ruhe gefunden hatten. Mit einer letzten, wunderbar befreienden Bewegung schritt Georg stolz in ein neues Leben, während der Vorhang sich langsam senkte.

Georgs Auseinandersetzung mit seinem Zustand konzentrierte seine Energie und sein Talent darauf, sich einem Publikum verständlich zu machen. Durch diese konstruktive Arbeit begann er die Verzerrungen seines Körpers abzulegen und damit auch seine Konflikte.

Mein Anliegen ist es, den Patienten zurück in seinen Körper zu bringen. Denn durch seinen Körper erfährt er seine Realität. Das Zusammenwirken Körper-Geist verbürgt menschliche Einheit. Dabei begründet sich meine Arbeit im Wesentlichen auf folgende Erkenntnisse:

- dass die Liebe zu sich selbst, zum Nächsten, Liebe zum Da-Sein bedeutet
- dass der Mensch sich durch die Elemente – Zeit, Raum, Bewegung, Rhythmus, Zentrum – erfährt
- dass jeder Mensch auf dieser Erde ein Künstler ist, der an der Gestaltung seines Menschen und seiner Welt mithelfen möchte
- dass wir der Fantasie erlauben sollten, lebendiger Teil unserer Realität zu sein
- dass wir jeden von uns seine eigene Wahrheit finden lassen müssen
- dass wir unsere zwei Daseins-Ebenen Endlichkeit-Unendlichkeit integrieren, um ein Ganzes zu werden.

Dies sind meine Erfahrungen. Sie bilden die "Theorie", die ich Dr. Keermuschel vor so vielen Jahren nicht erklären konnte. So, wie sie in ihren kleinen schwarzen Buchstaben dasitzen, scheinen sie einleuchtend und durchführbar zu sein. Aber irgendwie fehlt ein wichtiges Etwas – der tänzerische Geist selbst. Aber es gibt einfach keine Worte, um das Gefühl der Freude, das Entzücken über sich selbst, die Lust am Dasein zu beschreiben, die den tanzenden Menschen umgibt.

Wann haben Sie das letzte Mal getanzt?

LUKAS

Die Wandlung

"Niemand hat mir gezeigt, wie man ein Mann ist"

Formen der Angst

Etwa ein Jahr, nachdem ich meine Arbeit in der staatlichen Klinik aufgegeben hatte, begann ich meine angesammelten Notizen durchzulesen. Dabei fand ich eine abgegriffene Mappe mit der Aufschrift "Lukas". Lukas war ein Patient, mit dem ich zweieinhalb Jahre lang sowohl einzeln als auch in der Gruppe gearbeitet hatte.

In seiner Krankheitsgeschichte war zu lesen:

> Undifferenzierte Schizophrenie. Catatonische Tendenzen. Paranoide Züge. Seit 20 Jahren in staatlichen Institutionen interniert. Über Herkunft und Familie ist nichts bekannt. Keine Sprache.

Darunter schrieb ich:

> Lukas: Zerfallenes Ich-Gefühl. Wenig Beziehung zu sich selbst und zur Umwelt. Spricht nicht. Körperlich zugleich gespannt und schwach. Er weiss nicht immer, wo er anfängt und wo er aufhört. Verzerrtes Körperbild. Ausgesprochener Bewegungsmannerismus. Zwangshandlungen. Tendenz, in einer Körperhaltung zu verharren. Misstrauisch, ängstlich, sich ständig entschuldigend. Empfindet sich als hässlich und schmutzig.
> Wir haben frühzeitig begonnen, gegenseitig Kontakt aufzunehmen. Dieser vertiefte sich während der Jahre, wir begannen, uns gern zu haben. Im letzten halben Jahr erkannte der Patient seine Probleme, er konnte darüber sprechen, legte seinen Mannerismus ganz ab. Er zeigte den Wunsch, zu zeichnen. Das Interesse zu skizzieren und malen hielt an. Seine Persönlichkeit entwickelte sich langsam aber stetig. Grosse Veränderungen zeigten sich in der Bewegung (Körperbild), im sprachlichen Ausdruck, in Zeichnungen.

Wie blass sich das alles anhörte – welch ein nüchterner Bericht über die vielen Stunden, in denen wir miteinander gerungen hatten! Ich erinnerte mich so deutlich an jene erste Begegnung . . . .

An jenem Morgen war ich allein im Studio. Plötzlich, als ich aufblickte, stand ein schwarzer Mann in der Türe. Ich hatte ihn nicht kommen hören. Als meine Augen zufällig auf ihn trafen, war nicht erkennbar, ob er hereinkommen oder hinausgehen wollte. Er stand einfach da, seltsam schwerelos und schemenhaft, in tiefes Schweigen gehüllt. Dann begann er, sich vorsichtig zu bewegen, er umkreiste den Raum langsam wie ein gefangenes Tier, immer dicht den Wänden entlang gehend. Seine Füsse schienen den Boden kaum zu berühren, es war, als sei die Berührung schmerzhaft. Ich spürte Angst in ihm und um ihn – hingegen schien das Gefühl der Angst in ihm selbst, in seinem Körper abgestorben zu sein. Was übrig geblieben schien, war eine Hülle der Angst.

Während ich dastand und beobachtete, wie diese Gestalt ihren Weg den Wänden entlang zurücklegte, fiel mir sein eigenartiges Gebaren, seine zwangshafte Handlung auf. Sie bestand aus drei verschiedenen Bewegungen, die er der Reihe nach, eine nach der anderen, stets in der gleichen Reihenfolge, wiederholte. Er begann damit, plötzlich beide Arme in einem grossen Bogen zu heben und sie an die Stirn zu führen, wo seine Hände sich zu

Teufelshörnern krümmten. In dieser Haltung, der eines Teufels oder eines Fauns, machte er eine tiefe Verbeugung, aus der er sich dann wieder etwas aufrichtete. Für die zweite Bewegung machte er die Hände flach, drehte die Handflächen nach unten und fuhr sich kantig-schneidend über den Nacken. Dann die dritte Bewegung: Er senkte seinen Kopf auf die Brust und strich sein Haar mit weichen, zarten Streichelbewegungen nach vorne. Diese drei sorgfältig ausgeführten Gebärden, die in einem bestimmten Rhythmus mit sanfter Anmut vollzogen wurden, vermittelten den Eindruck frommer Demut. Was aber wollte er wirklich mit diesen Gebärden ausdrücken? Konnte es sich um einen frommen, untertänigen Gruss handeln? Wenn dem so wäre – vor wem müsste er sich so demütig, so oft und so kunstvoll verbeugen? Vorerst konnte ich nichts weiter tun, als da zu sein und ihn auf seinen stummen Gängen rund im Raum herum den Wänden entlang zu begleiten.

Seine Haut hatte die Farbe von Milchschokolade. Er hatte ein schönes, ovales Gesicht, seine Glieder waren lang und wohlgeformt, seine Hände schmal und feingliedrig. Er hielt seinen ganzen Körper weit zurückgelehnt. Die Brust war eingefallen, der Rücken gekrümmt, der Kopf herunter gezwängt. Seine Augen waren niedergeschlagen, sie blickten nie geradeaus, nur von Zeit zu Zeit warf er verstohlene Blicke nach rechts oder links. Sein Gang war ein eigenartiges Wippen, ohne Freude, auf und ab, auf und ab . . . . Da er seinen Oberkörper steif hielt, schwankte er vor und zurück; der ganze Mann sah aus, als sage er unaufhörlich: "ja, ja, ja . . . " Und immer sah man die Hörner, dieses Schneiden und das Streicheln der Haare. –

Meine ersten Versuche, Lukas aus dem Gleichmass seines Ganges herauszuholen, beantwortete er mit einem Murmeln von "Oh . . . . Oh-Oh . . . . " und gab dieser Silbe jede Art von Betonung, wie ein Schauspieler, der den Sinn eines Satzes ausprobiert.

"Willst Du mit mir springen, Lukas, so?"

"Oh, Oh!" – und er hopste ein wenig.

"Das ist fein. Wir wollen jetzt mit beiden Füssen zugleich hoch springen."

"Oh? Oh, oh, oh . . . . ooh . . . . . ooh." Und sofort begann er wieder sein zwangshaftes Gebärdenspiel.

Lukas schien keine Vorstellung von seinem Körper als einer Einheit zu haben. Er machte den Eindruck, als fiele er auseinander. Oft wusste er nicht, wo sein Kopf war und wenn ich ihn aufforderte, die Schultern zu berühren, konnte es sein, dass er die Füsse anfasste. Seine Konzentrationsspanne war äusserst kurz. Was ich ihm auch anbot, die Themen mussten rasch wechseln, wollte ich seine Aufmerksamkeit nicht verlieren. Seine Atmung hörte sich kurz an, wie kleine Angstschreie. Beim Einsaugen schnitt er die Luft scharf ab, wie jemand, der etwas ganz Schreckliches sieht. Auch fiel es ihm schwer, den so angehaltenen Atem wieder ausströmen zu lassen. Er konnte seine Muskeln nicht entspannen, er konnte nicht loslassen. Er kannte keinen Unterschied zwischen rechts und links, hoch und tief, langsam und schnell – er war hilflos gefangen in seiner einseitigen Spannung. Er wollte sich nicht hinsetzen, wollte seine Schuhe nicht ausziehen. Er scheute vor jeglichem Berührtwerden zurück. Über sein wunderbar vielfältiges "Oh . . . oh . . . " hinaus sprach er nichts. All sein Nicht-Handeln oder Anders-Handeln wurde mit einer derart charmanten Zurückhaltung ausgeführt, dass es beinahe schade schien, in dieses Verhalten einzugreifen!

Lukas und sein Mannerismus

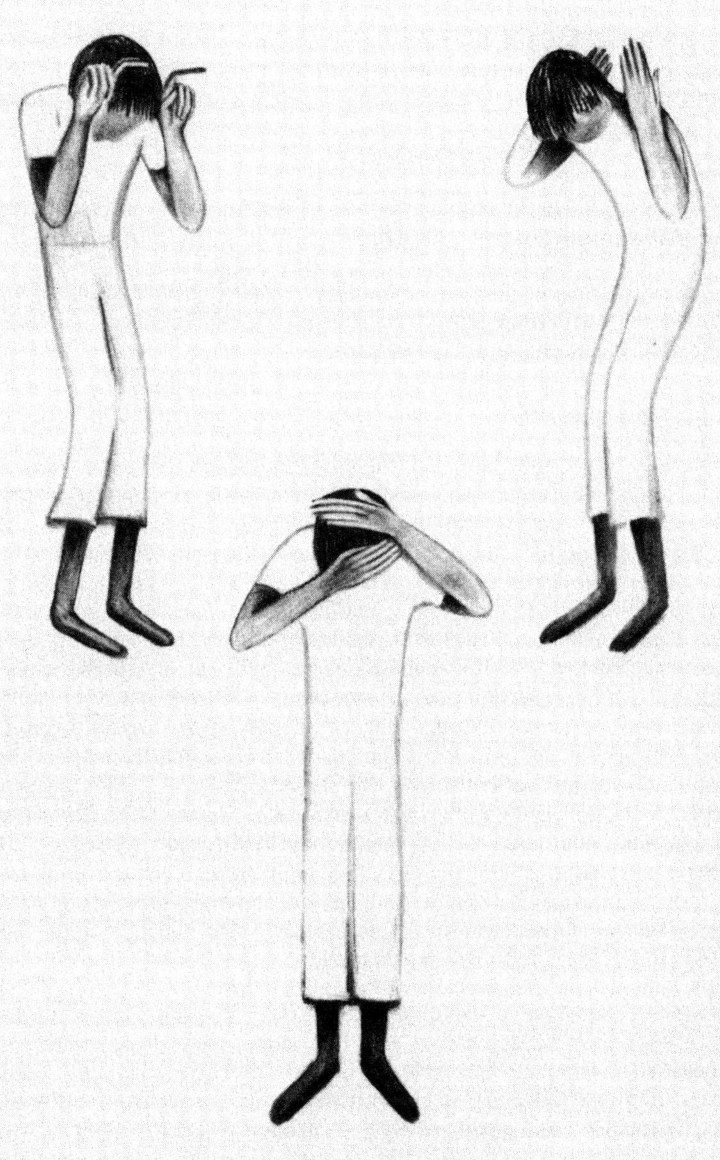

Die eindrücklichste Nachricht, die ich von Lukas erhielt, war: "Ich kann mich nicht ausstehen, ich bin gefährlich, ich bin schmutzig". Ich wusste: Ich muss Lukas wissen lassen, dass ich ihn gern habe, dass er genau so liebenswert ist, wie wir alle und dass ich nicht an seine vermeintliche Gefährlichkeit glaube.

Eines Morgens setzte ich meine Gedanken in Bewegung um. In einer grossen, warmen Gebärde der Freundschaft streckte ich ihm meine Hände entgegen. Eine lange Weile starrte er auf die offenen Handflächen, dann gab er die erste deutliche Beschreibung einer Tatsache von sich:

"Du bist eine Weisse . . . ."

Es war der erste gesprochene Satz, den wir von Lukas hörten. Er hatte drei Monate gebraucht, um seine Sprache wieder zu finden.

Ich glaube, dass die Notizen, die ich während der darauffolgenden Monate machte, Lukas' grundsätzliche Konflikte ebenso klar aufzeigen wie die Fortschritte, die er in Richtung auf ein wirklichkeitsnäheres Leben machte.

"Und so will ich grüssen"

Heute hat Lukas zum ersten Male seine Schuhe ausgezogen. Es war ein kompliziertes Zeremoniell. Zuerst knöpfte er den rechten Schnürsenkel auf, dann den linken. Beide mussten bis zu einem ganz bestimmten Punkt geöffnet werden. Er zog den rechten Schuh mit so grosser Sorgfalt aus, als handle es sich um Aschenbrödels kostbaren Pantoffel. Dann zog er auf die gleiche Weise den linken Schuh aus. Ehe er sie nun hinstellte, besah er jeden Schuh kritisch und sehr gründlich: Die Sohle, den Absatz, die Senkel. Dann zog er seine Socken aus, rollte sie zusammen und stopfte je einen in jeden Schuh. Dann begann das Problem des Hinstellens. Zuerst stellte er die Schuhe Seite an Seite, mit den Spitzen zur Tür gerichtet auf. Anscheinend befriedigt stand er vom Stuhl auf und wir begannen mit einer Übung. Aber er blickte immer wieder besorgt auf die Schuhe und bald ging er hin, um sie mit den Absätzen zusammen zu stellen, die Spitzen nach Chaplin-Art seitwärts gerichtet und die Senkel künstlerisch über die Seiten angeordnet. Dieser Vorgang wiederholte sich wieder und wieder, von Ausbrüchen seiner Zwangsbewegungen unterbrochen. Er machte nur kurze und zerstreute Ansätze zur Arbeit. Seine Hauptsorge schien zu sein, dass jeder seiner Schuhe zumindest einmal in jede der vier Himmelsrichtungen weisen sollte. Immerhin, *ein* Erfolg war sichtbar: er hatte die verflixten Dinger wenigstens ausgezogen. Mehr noch: Er sagte "Guten Morgen" und liess seine Hörner sich vor mir verneigen.

Lukas betritt den Raum immer wie jemand, der keine Erlaubnis zum Eintreten hat. Er stiehlt sich leise wie eine Katze herein. Aber ich glaube, seine Unsicherheit ist jetzt mit Neugierde gemischt. Heute gab es wieder das gleiche Besorgtsein um die Schuhe. Ich bat ihn, sich zu mir auf den Boden zu setzen und zum ersten mal gelang ihm dies. Es war ein schwieriges Kunststück, das unzählige Male von seinem Aufstehen zwecks Ausrichtung der Schuhe in alle Himmelsrichtungen und häufigen Wiederholungen seiner Zwangshandlungen unterbrochen wurde.

Sollte ich nicht bezüglich seines untertänigen Grusses etwas unternehmen? Ich wollte, dass er meinen Versuch spürte, sein Gebärdenspiel zu verstehen. Wenn ich seine Zwangshandlungen einfach mitmachte? Nicht spöttisch, verächtlich, sondern mitfühlend, liebevoll? Je mehr ich mich in seine Gebärden vertiefen würde, desto mehr könnte ich über Lukas erfahren! Und Lukas? Würde er sich nicht freuen, dass sich jemand sichtbar um ihn kümmerte?

Ich erklärte den beiden Psychiatrieschwestern, welche hinter einem "One-way-mirror" immer zugegen waren, dass ich versuchen wolle, Lukas' Mannerismus mitzumachen. Sie waren entsetzt: "Er wird denken, Du machst Dich über ihn lustig. Warum willst Du Euren guten Kontakt gefährden?" Ich ging zu Dr. Keermuschel. "Versuche es, Trudi, es ist ungewohnt, aber bestimmt einen Versuch wert."

Als Lukas und ich uns am nächsten Morgen am Boden gegenüber sassen und er mit seinen Zauberbewegungen begann, setzte ich nach einer Weile ein: Ernst und sorgfältig ahmte ich die Hörner nach, verbeugte mich, schnitt über meinen Nacken und streichelte meinen Kopf. Mir schien, als husche ein Lichtschein über sein dunkles Gesicht. Er lächelte – ich lächelte. Hatte ich recht gehabt? Fühlte er sich akzeptiert – fühlte er sich verstanden?

Heute Morgen wieder das gleiche besorgte Tun mit den Schuhen . . . . nicht ganz so viele Zwangsbewegungen. Als wir uns vom Boden erhoben, wo wir Streckübungen gemacht hatten, streifte meine Hand seinen Arm. Sein Körper krümmte sich krampfartig und sein Gesicht verzog sich zu entsetzlichen Grimassen des Abscheus! "Oh! Oh! Rühr mich nicht an! Du wirst Dir weh tun! oh . . . . oh . . . oh . . . sei vorsichtig! Du wirst Dich stechen!"

Ich hatte Menschen gekannt, die sich meiner Berührung widersetzten, nie aber jemanden, der mich vor ihm schützen zu müssen glaubte!

Heute habe ich zu Lukas gesagt: Wann immer Du willst, Lukas, führe Deine Lieblingsbewegungen aus und wenn es Dir recht ist, mache ich sie mit. – Lukas nickte viele, viele Male. Nachträglich weiss ich, wie gut ihm diese "Erlaubnis" tat, sie schien ihn zu befreien. Seine "Begrüssungen" wurden zum emotionalen Barometer. Wenn er sich entblösst fühlte, wenn Schuldgefühle ihn plagten, wurden die Bewegungen häufiger und mit besonderer Sorgfalt ausgeführt.

Die Schwester, die Lukas heute Morgen zu mir brachte, erzählte mir, dass Lukas ihr gesagt hätte, es täte ihm leid, dass er gestern so böse zu mir gewesen sei. Es ging um unsere "Berührung". Zu mir sagte er: "Der Doktor hat ihn hier abgesägt" – und zeigte auf das Mittelglied seines Fingers – "dann hat er einen neuen gefunden und hat ihn auf die falsche Stelle gesetzt. Deshalb tut es weh." – Allmählich vergass er seinen Finger. Er fand den Unterschied zwischen einem runden und einem geraden Rücken, zwischen einem gesenkten Kopf und einem erhobenen. Er machte recht häufig seine Zauberbewegungen und lächelte, wenn ich sie mitmachte. Glücklich und erstaunt schien er zu sein, als ich einige lustige Verschnörkelungen beifügte.
Wir arbeiteten an verschiedenen Arten des Gehens, ein weiches Wippen, dann zurückhaltendes Gehen, den Körper weit nach hinten gelehnt und schliesslich ein starkes, selbstsicheres Marschieren. "Ich kann nicht gehen, wie ein Mann geht", sagte er plötzlich aufgebracht. "Ich bin ein Mädchen, niemand hat mir gezeigt, wie man ein Mann ist". Dann fing er an, verzweifelt auf seine Brust zu schlagen. Mit viel Mühe brachte ich ihn schliesslich dazu, diese harten Schläge nach aussen in den Raum anstatt auf seinen eigenen Körper zu richten. Als er mich heute verliess, bedankte er sich höflich und sagte "Fröhliche Weihnachten, fröhliche Weihnachten, fröhliche Weihnachten . . . . "

Heute nahm ich mir vor, wieder eine Berührung zu riskieren. Lukas war in guter Stimmung, lächelte oft. Zuerst berührten wir im Rhythmus einer Melodie Teile unseres eigenen Körpers. Wenn er seinen Kopf, seine Schulter oder sein Knie berührt, sieht es aus, als fasse er ganz fremde Dinge an. Mit den Schlagbesen geht es schon etwas besser. Sein

Gefühl scheint in dieses Instrument übertragen zu sein und wird dabei gefahrloser. Lukas konnte mit diesen Besen auch meinen Körper berühren.

Heute Nachmittag streckte ich Lukas meine Hände entgegen in der Hoffnung, zusammen tanzen zu können. Er sah sie lange an, dann blickte er weg und murmelte seine "Oh .... oh .... oh!" Endlich, sehr, sehr zögernd streckte er seine Hand aus und tippte meine Fingerspitzen kurz und sehr zaghaft an. Dabei schnitt er noch Grimassen, verdrehte seinen Körper und warf mir verstohlene Blicke zu. Aber all diese Reaktionen zeigten einen leichten Anflug von Humor. Beim Abschiednehmen machte Lukas seine Hörner. Ich sagte ihm, dass sich in der Schweiz die Menschen beim Abschiednehmen und bei der Begrüssung die Hand gäben. Dabei hielt ich ihm meine Hand hin. Er ergriff sie, spürte meinen starken, festen Druck — dann flüsterte er "Fröhliche Weihnachten" und hüpfte hinaus.

Heute schien Lukas sehr deprimiert. Er sah aus, als stelle er alles, was wir bis anhin taten, in Frage. Lange schaute er Erika, unsere Pianistin an, untersuchte das Klavier, das Sofa, die Stühle .... als zweifle er an deren Daseinsberechtigung. Dann stand er am Fenster und blickte durch zusammengekniffene Lider hinaus. Ich begann, mich um seine Aufmerksamkeit zu bemühen. Er ging nicht darauf ein. Der ganze Lukas wirkte wie ein grosses "WARUM?". Er begann, auf seine Handflächen zu starren und schreckliche Grimassen zu schneiden. Dann fing er mit seinen Zwangsbewegungen an, fügte diesmal jedoch etwas hinzu: eine höchst stilisierte Gebetsstellung — die Arme über dem Kopf erhoben, die Handflächen zusammengepresst — eine wahrhaft schöne, gotische Haltung demütigen Flehens. — Dann senkten sich die betenden Hände langsam, glitten seinem Körper entlang und bedeckten schliesslich sorgsam sein Geschlecht. Er hatte seine Schuhe nicht ausgezogen und ging fort, ohne ein Wort zu sagen.

Heute bemerkte ich zum ersten mal seinen Hang zum "Verharren". Er konnte mitten in einer Bewegung innehalten und in dieser Stellung erstarren. Er fügte seinen Zwangshandlungen weiterhin das Beten und das Bedecken seines Geschlechts hinzu. Sein Verhalten wirkt zunehmend gestörter. Vielleicht bin ich zu rasch vorgegangen?

Heute ist Lukas in schlechter Verfassung. Kaum hatten wir mit der Arbeit begonnen, als er fragte: "Warum müssen die Leute immerzu etwas mit mir tun? Ich will nicht tanzen. Was willst Du überhaupt von mir? Warum lässt Du mich nicht in Ruhe?" — Als er das Studio verliess, machte er mir die Hörner und die Verbeugung und erklärte erbost:

"So grüsse ich! Und so will ich grüssen!"

Vielleicht war seine Verfassung doch nicht so schlecht? Er konnte mir immerhin zeigen, was er fühlte!

Heute stellte ich fest, dass Lukas in zunehmendem Masse die neuen Gebärden in sein Bewegungsschema mit einschliesst, so auch das Bedecken seiner Genitalien. Ausserdem zieht er andauernd sein T-Shirt herunter. Eine neue Bewegung entstand: Nachdem er wieder wütend auf seine Brust geschlagen hatte, klatschte er sich plötzlich mit gestreckten Armen auf seine Schenkel, er sah aus wie ein grosser Vogel, der vergeblich versucht, sich vom Boden zu erheben. Ich begann mit zu machen. Wir stampften, schlugen um uns und boxten ein wenig. Diese Übungen der Wut begannen ihm Spass zu machen. Als er ging, sagte er höflich "vielen Dank".

Heute brachte ich einen grossen Spiegel ins Studio. Lukas schien fasziniert von seinem Spiegelbild, er grinste sich breit an, dann blies er seine Backen wie ein Blasenfisch auf und runzelte gewaltig die Stirne. Nach einer Weile schien ihn sein Bild aufzuregen — er verliess hastig den Spiegel. Von diesem Moment an konnte er seinen Kopf nicht mehr heben, wollte mich nicht mehr ansehen und fing wieder mit den Faustschlägen auf seine Brust an. Es gelang mir diesmal nicht, seine Schläge von sich weg in den Raum hinaus zu richten. Zum Abschied murmelte Lukas ein höfliches "Auf Wiedersehen" und dann ging er mit den bekannten, mutlosen, wippenden Schritten auf den Flur hinaus.

Heute sagte er wütend zu mir: "Ich arbeite jeden Tag! Und ich kann alles sehen, genau wie Du und alle anderen auch!" – Er sprach viel, ich konnte nicht alles verstehen, was aus ihm heraus sprudelte. Aber ich glaube, er wollte ausdrücken, dass er nicht anders sei als die andern. Plötzlich hielt er inne und sagte mit hilfloser Endgültigkeit:

"Ich bin hässlich".

Als er ging, flüsterte er mir zu: "Es tut mir leid, dass ich Dich wieder gestochen habe. Es tut mir sehr leid".

Zur nächsten und übernächsten Stunde erschien Lukas nicht. So ging ich auf die Station, um ihn zu besuchen. Er sass bewegungslos, mit abgewandten Augen auf einem Stuhl. Er sprach kein Wort mit mir.

Am dritten Tag kam er wieder. Offensichtlich war er verärgert. Zum Gruss keine Hörner, kein Wort, keine Schuhzeremonie. Ich entschloss mich, mit diesem Ärger zu arbeiten. Ich ermutigte ihn, mit beiden Schlagbesen kräftig auf den Boden zu schlagen, dann gab ich ihm eine Trommel, die er bearbeiten konnte. Ich zeigte ihm, wie die Schläge lauter wurden, wenn er den Arm höher hob, um mit mehr Kraft schlagen zu können. Dies schien ihm sehr zu gefallen und er traktierte die Trommel arg. Als ich anfing, ihm wütende Bewegungen zu zeigen, ballte er seine Fäuste. Aber anstatt zuzuschlagen, schüttelte er sie nur hilflos. Dies war eine Geste unterdrückter Wut, die nach meiner Meinung seine Gefühle ganz genau widerspiegelte. Vorsichtig ging ich noch einen Schritt weiter und zeigte ihm, wie man seine Wut mit einem Faustschlag oder auch mit einem Tritt oder mit Stampfen entladen konnte. Nach der Sitzung war Lukas müde. Er zog seine Schuhe und Socken langsam an und machte nur einen halbherzigen Versuch, mir zum Abschied seine Hörner zu zeigen . . . .

Mehrere Tage arbeitete ich mit Lukas daran, Wut auszudrücken. Es stellten sich auch Fortschritte ein in Bezug auf Affekt und Wirkung. Er erkannte jetzt schon ganz gut die einzelnen Körperteile, konnte sie sogar einzeln bewegen. Er sprang mit beiden Füssen und konnte rückwärts gehen.

Heute machte er mit den farbigen Tüchern fliessendere Bewegungen und zum ersten Mal begann er mit ihnen zu improvisieren. Er ging aufrecht und blickte geradeaus. Es gelang ihm sogar, seine Hand länger als sonst in der meinen zu lassen. Er sah mir direkt in die Augen. Er sagte meinen Namen. *Diesen* Lukas habe ich gern.

Heute schien Lukas viel entspannter zu sein als bisher. Noch immer konnte er weder stossen noch ziehen, aber heute hüpfte er und versuchte sich an Tanzschritten. Am Ende der Stunde sagte er: "Ich wollte es eigentlich nicht sagen, aber ich muss: Gott segne Dich! Du bist vernünftig. Ich kannte einmal einen Weissen – einen wundervollen Mann. Ich arbeitete für ihn und verdiente drei Dollar. Ich arbeite gern." Er verbeugte sich vor Erika und gab mir die Hand.
Die Schwester erzählte mir, dass er auf dem Rückweg zur Station sagte: "Sie ist schön. Ich meine Trudi, sie ist eine schöne Frau."

Heute erzählte mir Lukas von den Blumen, die er im Garten der Anstalt gesehen hatte. "Sie sind weiss und gelb und rosa. Aber ich glaube, es ist etwas mit ihnen geschehen."

Heute hat er sich beim Tanzen zum ersten Mal in den Raum hinaus gewagt. Er lächelte oft und war viel weniger verkrampft. Nach der Stunde sass Amos, ein anderer Patient, zwischen Lukas und mir und sprach sehr deprimiert. "Siehst Du, Lukas", sagte ich, "Amos macht sich Sorgen". Lukas sah mich gerade an und erwiderte: "Wir müssen uns Sorgen machen, weil die Welt, in der wir leben, so schön ist.".

Heute kam Lukas fast wie zu einem Stelldichein herein. Er lächelte und sah mir in die Augen. Er sagte, er wolle sich in Alaska ansiedeln, wenn ich nichts dagegen hätte. Wir machten Entspannungsübungen. Ich fasste seine Arme und bewegte sie, damit er ihr Gewicht spüren sollte. Er schien gleichzeitig darunter zu leiden und es zu geniessen. Es war, als erlebe er etwas Neues, das zugleich vertraut war. Es machte ihm Spass, mir zu zeigen, was man mit dem Schlagbesen alles tun konnte und er war sehr einfallsreich in seinen Bewegungsmustern. Ich machte seine Zwangsbewegungen wieder mit, doch diesmal schloss er sie, wie im Scherz, mit einem schönen Schwung ab. Ich brachte ihn nach der Stunde auf seine Station zurück. Er lachte viel, sogar als ich ihn seiner Haltung wegen aufzog. Er zeigte mir seine Hände, besonders die Nägel. Ich schlug ihm vor, sie zu bürsten. Dieser Vorschlag gefiel ihm.

Heute nicht viel Veränderung . . . . Lukas wird mir gegenüber unbefangener, sagt oft ". . . . wenn es dir recht ist." Die Schwester erzählt mir, dass er jetzt im Hof Gartenarbeit verrichte und seine Arbeit gut mache. Er schien sich zu freuen, als ich sagte, ich würde gerne einmal kommen und mir seine Gartenarbeit ansehen. Immer wieder betonte Lukas, wie gern er eine feste Arbeit haben möchte.
"Sie sagen NEGRO zu mir", sagte er. "Daran ist doch nichts Falsches, nicht wahr?" —

Heute ging ich in den Hof, um mir seine Arbeit anzusehen. Er war stolz darauf. Er zeigte mir, wie fein er die Erde gehackt hatte und liess sie durch seine langen Finger rieseln. Am Nachmittag, in seiner Stunde, versuchte ich es mit Raumstudien. Er vermochte klar und deutlich in der Diagonalen, im Zickzack zu gehen oder Quadrate abzuschreiten. Nur mit der Form des Kreises schien er sich nicht anfreunden zu können. Immer liess er den Kreis offen und zögerte gegen das Ende zu. Ich gab ihm einen Block und einen Bleistift und forderte ihn auf, einen Kreis zu zeichnen. Der nun gezeichnete Kreis entsprach genau dem, den er im Raum abschritt: Die Linien trafen sich nicht, der Kreis blieb offen. Während er sich weiterhin bemühte, fing er an, seine eigenen kleinen Verzierungen hinzuzufügen. Offensichtlich zeichnete er gerne.

Eine andere Verpflichtung hielt mich für ein paar Tage von der Anstalt fern. Als ich wiederkam, hatte Lukas sich ein Schnurrbärtchen wachsen lassen. Er war sehr guter Laune. Pantomimisch zeigte er mir die Arbeit, die er früher verrichtet hatte. Es sah aus wie Dreschen. Dann erzählte er mir von den kleinen Pflanzen, die er damals angebaut hatte und ich bat ihn, mir zu zeigen, wie das vor sich ging. Es war eine umständliche Aufgabe — sehr schön anzuschauen. Lukas setzte seine Pflänzchen in einer geraden Reihe von einem Ende des Studios zum anderen. Zwei Pflanzen mussten immer sehr eng zusammengesetzt werden, einander diagonal gegenüber. Der Zwischenraum musste genau abgemessen werden. Er grub die Löcher mit den Händen, nahm jede Pflanze sorgfältig auf und beschrieb sie mir, während er sie in die Erde pflanzte.
"Diese hat bläulich-lila Blüten . . . . diese ist rosa und beige. Diese ist gelb, mit einer Art Grün drin". Die verschiedenen Farben wurden genau und in liebevoller Ausführlichkeit beschrieben.
Lukas verbrachte eine ganze Stunde mit diesem fantasievollen Bepflanzen seines regenbogenbunten Gartens. Hinterher sagte er:
"Ich habe einen Vater und eine Mutter. Wir sind dreihundert in der Familie." Dann ver-

besserte er sich: "Oh, oh-oh, ich meine, ich habe zwei Brüder und zwei Schwestern. Wir sind fünf. Ich wohnte in einer grossen Stadt in Afrika; ich glaube, sie hiess Kenia. Ich wohnte auch in Texas. Die Lager dort sind sehr schön."

Heute hat Lukas seine Zwangsbewegungen nicht ein einziges Mal gemacht! Als er ging, sagte er: "Ich bin sehr dankbar, dass ich Dich kennen gelernt habe. Du bist schön!"

Heute war sein hübscher Schnurrbart nicht mehr da. Als ich mich darnach erkundigte, sagte er leise: "Sie hatten keine Zeit".
Er war sehr niedergeschlagen, konnte mir nicht folgen und wollte nicht aufblicken. Ich fragte ihn, was ihn bedrücke.
"Warum trage ich kein Kleid?" sagte er ganz traurig. "Warum bin ich nicht richtig angezogen?"
Ich erklärte ihm, dass man das, was er trug, als Gymnastikanzug bezeichne.
"Oh, Gymnastikanzug . . . . ich möchte wie ein Mann angezogen sein. Was bin ich überhaupt, ein Mann oder eine Frau?"
Ich versicherte ihm, dass er ein Mann sei und bat ihn, mich zum Tanzen aufzufordern. Plötzlich wurde er sicherer, wirkte ganz verändert. Er nahm meine Hand, lächelte und tanzte stürmisch mit mir umher.
Auf dem Rückweg zu seiner Station blieben wir wieder im Hof stehen, um uns seinen Garten anzusehen. Während wir dastanden, wurde er plötzlich wütend.
"Ich würde mein Leben für die Weissen geben. Warum bist du so nett zu mir? Warum mischst du dich in mein Leben ein? Warum machen die Leute das alles mit mir? Was hat es für einen Sinn?" – Dann fügte er hinzu: "Dich habe ich gern."
"Ich habe Dich auch gern, Lukas."
"Auf Wiedersehen".

Heute besuchte ich Lukas vormittags im Hof und zeigte ihm einige Setzlinge, die ich für ihn zum Einpflanzen gekauft hatte. Er schien nicht sehr erfreut. "Ich weiss nicht, ich muss meinen Chef fragen. Ich kann nichts tun, wenn er es nicht anordnet, und er hat mir eben gesagt, ich soll alle Pflanzen im Hof wieder ausreissen."
Am Nachmittag war Lukas niedergeschlagen.
Ich fragte ihn, was er am liebsten tun würde.
"Ich will für den Weissen arbeiten."
"Wie willst du das anfangen?" fragte ich.
"Ich würde ihn begrüssen" und er machte seine Hörner und verbeugte sich.
"Und dann?"
"Dann würde ich ihn nochmals begrüssen", entgegnete er, kreuzte die Arme über der Brust und verbeugte sich noch tiefer.
"Und dann?" bohrte ich weiter.
"Ich würde ihn nochmals begrüssen". Diesmal verneigte er sich bis zum Boden, richtete sich dann auf und sagte: "Das ist zuviel, das geht zu weit!"
"Du hast recht, Lukas!"
Und wir lachten beide.
Danach fing er wieder mit dem Dreschen an und zeigte mir, wie er mit seinen Händen in der Erde grub und wie er Unkraut ausriss. Alle Bewegungen wurden mit einer geschmeidigen, meisterhaften Anmut ausgeführt – es war eine Freude, ihm zuzuschauen. Als er ging, bot ich ihm die Pflanzen nochmals an. Er nahm sie und bedankte sich sehr. Die Kiste mit den Pflanzen sorgfältig in beiden Händen haltend, ging er glücklich, mit federnden Schritten rückwärts hinaus.

Heute sprach Lukas von einem Zuhause: "Es ist schön, ein Zuhause zu haben". Er

meinte, ich solle Urlaub nehmen und lud mich auf seine Station ein: "Sie ist wie ein Sanatorium."
Er sprach auch mit Erika: "Guten Morgen. Heute ist ein schöner Tag."
Dann sagte er: "Ich habe drei Farben: Vanille, Schokoladenbraun und Dunkelblau."

Heute geschah etwas Unglaubliches: Lukas kam ganz "normal" herein. Er sagte "Guten Morgen" ohne seine Hörner zu Hilfe zu nehmen. Er zog Schuhe und Socken völlig natürlich aus, setzte sich mir gegenüber und fing sofort an, seine Zwangsbewegungen wiederholte Male auszuführen. Dann schaute er mir direkt in die Augen und sagte schlicht: "Möchtest du wissen, was das bedeutet, Trudi?"
"Das möchte ich sehr gern", erwiderte ich.
"Dies" – sagte er und demonstrierte die Verbeugung und die Hörner mit den ausgestreckten Zeigefingern, "ist eine Begrüssung für den weissen Mann. "Und dies" – und er machte dieselbe Bewegung wie zuvor, aber jetzt gebrauchte er die kleinen Finger als Hörner, "ist wie die Pfadfinder grüssen. Dies" – die Schneidebewegung am Hals – "ist wie man den Schweiss abwischt, weil ich so schwer arbeite. Und dies" – und er machte die Streichelbewegung am Kopf – "bedeutet, dass es ein heisser Tag ist."
"Ich danke dir, Lukas. Hab vielen Dank."
Es schien, als hätte Lukas eine Barriere aufgehoben, die lange zwischen uns gestanden hatte. Wir lächelten einander in gegenseitiger Anerkennung an. Es wurde ein gute Stunde! Vorher hatte Lukas häufig von sich selbst als einem Zebra (wieder schwarz und weiss?) gesprochen, deshalb bewegten wir uns auf allen Vieren. Zuerst waren wir Zebras und dann andere Tiere. Lukas hatte so viel Spass an diesem Spiel, dass er weiterhin auf allen Vieren blieb, auch als ich ihn bat, mit mir aufzustehen und wieder wie ein Mensch zu gehen. Aber ich war sicher, dass ihm der Unterschied bewusst geworden war, den ich hervorheben wollte.

Heute "kam Lukas wieder zurück", nachdem er einige Tage lang in seine alte Hörnerbewegung zurückgefallen war, seinen Genitalbereich wieder zugedeckt hatte und sich schweigsam, bedrückt und verschlossen zeigte. Ich arbeitete vorsichtig, nur mit den vertrautesten, leichtesten Übungen. Er arbeitete mit der Trommel, den Schlagbesen und den Tüchlein, aber er wagte sich nicht in den Raum. Er fing wieder mit Fragen an.
"Was willst du von mir? Warum lässt du mich nicht in Ruhe?"
"Weil ich möchte, dass du gesund wirst. Weil ich dich gern habe".
"Ich habe dich auch gern."
"Mach ich dich wütend?" fragte ich.
"Wütend? Wütend? Nein!" sagte er sehr, sehr böse. "Das tust du nicht!" Nach einer Pause fuhr er weniger wütend fort: "Ich müsste einen Haarschnitt haben, aber sie geben mir keinen. Ich brauche einen!"
So wie er es ausdrückte, schien es eine grundlegende menschliche Notwendigkeit zu sein. Er sah mir gerade in die Augen, wie ein Mann, der um seine Würde kämpft.

Heute morgen sass Lukas neben mir im Gang, während wir darauf warteten, dass der Fussboden im Studio aufgewischt werden sollte. Ich holte meinen Block heraus und bat ihn, eine Blume für mich zu malen. Er zeichnete, als sei es ihm ein vertrauter Zeitvertreib. Er führte eine angefangene Linie weiter, bis die Blume fertig war. Mit der gleichen ununterbrochenen Linie malte er Bäume, die alle gleich aussahen: Ein Stamm mit drei abgeschnittenen Ästen.
Die anschliessende Stunde war interessant. Lukas freute sich über die kleinen Bongotrommeln und spielte darauf klare Rhythmen. Seine Haltung war freier, beinahe fröhlich. Er fing an, mir von Früchten zu erzählen, die er gezüchtetet hatte, aber er konnte sich nicht auf die Namen besinnen. Während er weiter darüber sprach, wurde er zuse-

hends ärgerlicher, dass er die Namen nicht mehr wusste. So schlug ich vor, er solle sie zeichnen, oder er soll irgend etwas zeichnen, wozu er Lust verspürte.
Zuerst malte er ein leer aussehendes Haus.
"Das ist ein grosses Haus, ein schönes Klubhaus. Hier leben sehr intelligente Leute. Sie sprechen Englisch."
"Wo sind sie, Lukas?" fragte ich.
"Ich glaube, sie schlafen .... oder, oder, oder .... sie sind im Urlaub."
"Und wo bist du?"
"Ich bin in der Schule, in der dritten Klasse." – Dann begann er, seine Mutter zu zeichnen.
"Meine Mutter ist Lehrerin. Sie ist eine sehr liebe Mutter. Sie trägt immer pastellfarbene Kleider. Sonntags nahm sie mich und zwei Mädchen in die Kirche mit. Sonntags trug ich ein Kleid, die anderen Tage nur Hosen." Lukas zeigte mir mit Bewegungen, wie er in die Kirche ging. Er bewegte, verbeugte und benahm sich so, als wolle er nicht stören und keinen Lärm machen – genau wie heute! Dann legte er Geld in den Opferstock. Er erinnerte sich an den Titel eines Kirchenliedes "Down, down by the River".

Heute eine heftige Reaktion! Lukas war sehr verschlossen, neigte seinen Kopf weit herunter, erstarrte in der Bewegung und wollte nicht tanzen. Ich gab ihm einige Farbstifte und Zeichenblöcke, aber er schien sich vor ihnen zu fürchten und wollte sie nicht annehmen. Hingegen sprach er über die Farben der Stifte und machte genaue Unterscheidungen zwischen den einzelnen Farbtönen. Er schien erleichtert zu sein, als ich ihm sagte, dass ich sie in die Schublade legen würde und er sie jederzeit herausholen könne.

Lukas hat sich von der letzten Reaktion erholt. Heute schien er sich gern zu bewegen und improvisierte seinen eigenen Tanz, wozu er viel mehr Raum in Anspruch nahm als sonst. Die Schwester erzählte mir, dass sie ihm die Farbstifte und den Block gegeben habe, als er darum bat. Nun gab ich sie ihm auf die Station mit. Er schien hocherfreut und ging, die Stifte fest in der Hand haltend, den Flur rückwärts hinunter und sagte: "Schönen Dank, schönen Dank, schönen Dank, ich freue mich sehr darüber, sie sind wunderschön."

Heute erzählte mir Lukas: "Ich war in einem grossen Gemeinschaftslager. Sie nannten mich "Weisser" oder "König". Es war sehr schön".
Er arbeitete fleissig und war aufmerksamer denn je. Auch schien er gesammelter und ernsthafter. Andererseits immer dieses Durcheinander von männlich und weiblich, Junge und Mädchen, Kleider und Hosen! Er weiss einfach nicht, was er ist! Ist es darum, dass er so oft "oder-oder-oder" sagt?

Heute blickte er aus dem Fenster und sagte: "Die Berge sind so schön. Du bist auch schön. Ich möchte mich irgendwo ansiedeln, wenn dir das recht ist. Verstehst du, was ich meine ... ? Ich kann es dir nicht sagen ... du verstehst, was ich meine?"
Als er ging, gab ich ihm eine kleine Tafel Schokolade.
"Danke dir, und fröhliche Weihnachten!" sagte er.

Lukas betrachtete unsere gemeinsamen Stunden als eine Arbeit, die man ihm gegeben hat.
"Ich bin dir dankbar und weiss es zu schätzen, dass man mir diesen Job gegeben hat. Du weisst, was ich meine .... oder? oder, oder .... ?"

Heute war wieder ein trüber Tag für Lukas. Ich fragte ihn, ob er zeichnen möchte. "Ich weiss nicht, ob sie das wollen".

Er lächelte, als ich ihn zum Tanzen aufforderte. Aber sein Tanz war ziemlich unzusammenhängend. Beim Abschied sagte er: "Ich möchte, dass du bis zum Schluss mein Freund bist."

Heute ging es Lukas wieder besser. Er hatte gute Nachrichten für mich! "Ich war ein Zebra, ein Löwe."
Also forderte ich ihn zum Abschluss der allgemeinen Bewegungsübungen auf, ein Zebra zu sein. Er ging einfach im Zimmer umher. Als ein Löwe beugte er die Knie etwas mehr. Als ein Mädchen stemmte er die Hände in die Hüften und wiegte sich keck hin und her, wie ein Vamp auf der Bühne. Als Junge und Mann war sein Schritt kräftiger, er schien fröhlicher zu sein, aber auf einmal sagte er: "Ich sah früher gut aus. Das war, ehe sie mich "Nigger" nannten."

Heute ein bedrückter Lukas! Ich fragte ihn, ob er am Sonntag in der Kirche gewesen sei.
"Ich kenne keine Kirche."
"Bist du früher in die Sonntagsschule gegangen?"
"Ich gehe nicht mehr in die Kirche. Und ich gehe nicht mehr in die Schule. Sie wollten mich nicht hineinlassen, weil ich braun war. Ich weiss nicht, warum ich hier bin. Ich wollte nicht hieherkommen, in die USA. Warum geben sie mir keine Arbeit? Ich bin doch ganz in Ordnung!"
"Du bist hier, um gesund zu werden, Lukas."
"Es hat keinen Zweck, gesund zu werden. Jetzt, wo ich krank bin, werde ich nie wieder gesund. Ich will nicht gesund werden. Ich habe keinen Job, nichts wird sich ändern."
Lukas konnte sich kaum bewegen, er war schrecklich verkrampft. Ich versuchte, ihn zu lockern, aber er konnte sich einfach nicht entspannen. Lange Zeit ging ich neben ihm her . . . .
"Wenn es dir nichts ausmacht, dass ich schwarz bin?" und er lächelte.
"Es hat keine Bedeutung, dass ich weiss bin und du schwarz, ich mag dich, Lukas, und ich bin dein Freund."
"Ich finde es schön, dass du mein Freund bist. Aber es beunruhigt mich, dass du auch der Freund von anderen bist . . . ."
"Ich habe auch andere Freunde, das stimmt. Aber ich freue mich, dass auch du mein Freund bist."
Lukas möchte ein Zuhause haben und eine Arbeit. Er bedankte sich bei mir für alles – es war sehr traurig. ––

Heute hatte Lukas eine Geschichte für mich:
"Ich traf eine schöne Frau auf der Strasse. Wir gingen zusammen. Dann erfuhr ich, dass sie meine Schwester war. Sie war sehr schön."
Ich bat ihn, mir mehr von der Frau zu erzählen.
"Sie war ein schönes Mädchen, aus einfachen Verhältnissen."
"Wie hast du sie getroffen?"
"Ich habe sie nicht getroffen, sie hat mich getroffen."
"Wie fandest du heraus, dass sie deine Schwester war?"
"Ich fand es nicht heraus, sie sagte es mir."
"Hast du sie geliebt?"
"Ja, ich habe sie sehr geliebt. Aber sie sagte, sie hätte einen Mann, oder einen Freund . . . Ich will nach Hause. Ich will eine Arbeit haben. Vielen Dank für die Arbeit, die du mir verschafft hast."
Später führte er mir die Szene auf der Strasse vor. Er spielte alle Rollen selbst: sich, das Mädchen aus einfachen Verhältnissen und die Schwester . . . .

Man hatte Lukas endlich die Haare geschnitten. Aber sie waren, wie er sagte, damit nicht fertig geworden.

Wir arbeiteten mit Dehn- und Streckübungen und es schien ihm Spass zu machen. Als ich ihm die Trommel gab, lachte er und sagte: "Ich bin kein Musiker, das kann ich nicht."
Aber als ich mit ihm scherzte, "ach, hör doch auf, Lukas, du weisst ganz genau, wie man das macht!" komponierte er einen ausgefallenen Rhythmus. Dann wurde er plötzlich still, fing an, den Kopf zu schütteln und Grimassen zu schneiden.
"Was ist los, Lukas?" fragte ich.
"Ich habe einen Haufen Bienen im Kopf. Ich weiss nicht, wie sie da hineingekommen sind. Ich glaube, sie kamen aus dem Ausland .... Du bist eine schöne Lehrerin. Ich wollte, ich wäre auch eine Lehrerin!"
Lukas hatte Landkarten von den USA gezeichnet. Nord, Süd, Ost und West beschäftigte ihn, also versuchte er sich zu orientieren.
Als er ging, gab ich ihm ein Bilderbuch von Arizona, das viele schöne Landschaftsbilder enthielt. Er bedankte sich wie immer mit rührender Anmut:
"Ich bin sehr dankbar .... es ist wunderschön ... vielen Dank .... vielen Dank .... Fröhliche Weihnachten!"

"Ich ging zur Schule, bis ich fünf war. Ich war ein Mädchen. Damals hatte ich eine Mutter und einen Vater. Mein Vater hat mir einen schönen Anzug mit langen Hosen gekauft als ich achtzehn oder zwanzig war. Wenn ich Sonntags in die Kirche ging, hatte ich ein Kleid an. Ich war ein Mädchen. Jetzt bin ich .... du weisst .... eine Art Mann oder ein Junge."
"Kannst du mir zeigen, Lukas, was du gemacht hast, als du ein Mädchen warst und wie du dich bewegt hast?"
"Ich hielt den linken Arm mit der rechten Hand. Und ich ging so!" Und er ging umher und tänzelte hin und her.
"Lukas, jetzt bist du ein Mann. Zeig mir, wie du jetzt gehst!"
Und Lukas ging mit männlichen Schritten, besser denn je zuvor! Dann versuchte ich es mit Pantomimen. Eine Weile machte er gut mit. Aber als ich ihn aufforderte, mir in Bewegungen anzudeuten, dass ich zu ihm kommen solle, wusste er nicht mehr ein und aus. Er bemühte sich zwar, gab den Kampf aber schliesslich auf und zeigte mir nur hilflos seine offenen Handflächen.
Als er sich zum Gehen wandte, sagte er: "Die Boys haben sich alle das Buch angesehen und sie finden, dass du eine schöne Frau bist. Ich finde dies auch. Ich hoffe, du amüsierst dich gut und wirst gesund. Fröhliche Weihnachten!"

Es schien, als mache ihm das Nachahmen von Menschen und Tieren Spass. So fing ich heute damit an, verschiedene Handlungen pantomimisch darzustellen, wie das Trinken von Wasser usw.
"Mir wird beim Trinken immer schwindlig. Sogar Wasser macht mich schwindlig. Und auch all die Flüssigkeiten von den Bäumen. Mir wird sogar schwindlig, wenn ich esse."
"Wie gehst du, wenn dir schwindlig ist?"
"Ich gehe genau so, wie ich immer gehe!"
Darauf bestand er. Dann, nach einer Pause: "Ich mache mich prima. Ich meine, ich mache mich sehr gut. Ich bin in Ordnung. Ich bin jetzt sechzig; sechzig und vierzig ist einhundert."
"Bist du jetzt vierzig, Lukas?" fragte ich.
"Letztes Jahr war ich neununddreissig. Ich war nie ein Baby. Ich war immer allein – ich hatte keinen Vater, keine Mutter, keine Schwester und keinen Bruder. Ich war ganz allein. Wäre es nicht schön, wenn man eine Familie hätte und in einer Stadt lebte .... verstehst du, was ich meine?"
Wir kehrten zur Pantomime zurück. Ich suchte nach etwas Verlorenem und bat ihn,

mein Tun zu definieren. Seine Auslegung:
"Du siehst nach, ob der Hausmeister seine Arbeit gut gemacht hat. – Du bist eine Lehrerin mit einem schönen Fussboden."
Ich versuchte es noch einmal: Ich wache am Morgen auf, recke mich, wasche mir die Hände, das Gesicht, die Füsse.
Lukas schilderte:
"Du amüsierst dich. Du triffst nette Menschen und hast sie begrüsst" (!)
Jetzt war die Reihe an Lukas.
Er ging in einem grossen Kreis und machte eine tiefe Verbeugung. Seine Erklärung: "Ich ging auf einer grossen Bühne umher. Es war aufregend."
Als ich ihn fragte, wie er sich die Hände wasche, bewegte er die Arme, als tauche er sie in tiefes Wasser und wühle es auf.
"Ich schaue, ob im Wasser Schlangen sind." Er wusch sich die Hände, ohne sie aneinander zu reiben. Um sein Gesicht zu waschen, tauchte er es ins Wasser – aber er berührte es nie. Dann sagte er, von entsprechenden Bewegungen begleitet:
"Jetzt sehe ich zum Himmel auf und sehe schöne Wolken – ganz weiss und hygienisch. Sie kommen sonntags, dann verschwinden sie, dann kommen sie wieder . . . . weiss, blau, rosa . . . . dann rollen sie fort."
Er machte weiche, rollende Bewegungen, während er langsam am Boden kroch. Er sah wieder auf und folgte den Wolken mit den Augen:
"Sie kommen aus dem Süden. Aber sie können nicht nach Süden zurückrollen".

Lukas hatte eine weitere Version seiner interessanten Vergangenheit: "Ich war eine Hyäne . . . . eine Milchkuh . . . . ein sandfarbener Hund – das Oberhaupt einer Hundefamilie – und jetzt sagen sie, ich sei ein Mensch. Als ich ein Wolf war, traf ich ein Schaf am Wasser. Es gab mir Wasser zu trinken.
"Es war ein junges, schönes Schaf, etwa fünfundzwanzig Jahre alt . . . . sehr freundlich und nett. Der Wolf war genau so gross wie ich. Es war ein grosser Wolf."
"Was geschah dann?"
"Ich machte eine Stoffpuppe. Und dann machte ich eine Mühle und ich zermahlte mich . . . . und es kam Grapefruitsaft heraus . . . . oder, oder, oder . . . . Orangensaft . . . . oh, nein, es war Tomatensaft. Wenn du die Stoffpuppe in den Saft tauchst, wird sie lebendig. Jede Stoffpuppe wird lebendig, wenn man Saft darauf giesst."
Er hielt inne.
"Ich hatte eine Schwester. Ich trug Kleider. Mein linkes Bein gehört meiner Schwester. Das rechte Bein ist mein eigenes . . . . Schokolade und Vanille."
Die Fülle des Materials, das Lukas vorbringt, ist fantastisch! Ich fragte ihn, ob wir die Szene mit dem Wolf und dem Schaf spielen wollten?
"Oh ja. Ich brauche Wasser. Ich muss meine Familie beschützen."
Ich wurde das Schaf und Lukas der Wolf. Ich schöpfte eine Handvoll Wasser und hielt sie ihm hin. Er kniete vor mir nieder und trank glücklich. Als sein Durst gelöscht war, sprangen und hüpften und rannten wir wie zwei Wölfe herum. Seine Bewegungen waren herrlich anzusehen. Schliesslich lagen wir auf dem Bauch und leckten Wasser aus dem "See" . . . . – Dann tauschten wir die Rollen und wiederholten alles. Nachdem ich nun aus seiner Hand getrunken hatte, hüpften und tollten wir wie Lämmer umher und tranken wieder zusammen. Schliesslich standen wir auf, stellten uns aufgerichtet hin und gingen zusammen "als wir selber". Und sein Gang war erstaunlich anders geworden! Sein Schritt war fest und sicher. Sein Körper hatte sich aufgerichtet. Es war, als hätte er den Unterschied zwischen der Haltung eines Tieres und der eines Menschen ganz klar begriffen.

Schwarzer Wolf – weisses Schaf

Heute war Lukas deprimiert. Erneut fragte er, warum er herkommen müsse, warum ich nach ihm geschickt hätte. Er weigerte sich, zu tanzen. Aber schliesslich fing er an, auf den Bongotrommeln einen Rhythmus zu suchen. Bald hielt er jedoch inne und fing an, sie zu streicheln. Ich sah davon ab, die Stunde wie vorgesehen weiter zu führen. Wir wanderten gemeinsam durch den Raum. Schliesslich fing er zu reden an.
"Du bist mein Kind. Ich habe viele Kinder – du auch. Wo sind die Kinder? Ich weiss, sie sind in uns." – Eine Weile schwieg er. Dann:
"Es ist ganz in Ordnung, Menschen zu essen. Ich esse gern Menschen."
Er wandte sich mir fragend zu.
"Ich weiss nicht, wer mich geboren hat. Eine Frau oder ein Mann?"
"Deine Mutter hat dich geboren, Lukas, und sie ist eine Frau."
"Oh . . . . meine Mutter."
"Du scheinst heute verärgert zu sein, Lukas", sagte ich. "Hast du dich über mich geärgert?"
"Über dich kann ich mich nie ärgern. Nie. Nicht heute und nicht morgen. Niemals. Über dich ärgere ich mich nie."
Pause.
"Das ist, weil ich ein sehr kluger Indianer bin . . . ." fuhr er fort. "Oh, oh, oh . . . . ich glaube, ich bin ein Japaner. Was für eine Nationalität habe ich?"
"Lukas, du bist ein amerikanischer schwarzer Mann."
"Ich esse Menschen", wiederholte er ruhig und sah mir direkt in die Augen um zu sehen, wie ich diese neue Offenbarung aufnehmen würde.
Am Ende der Stunde hatte sich Lukas beruhigt und lächelte wieder. Er wollte, dass ich ihm einen Block und Farbstifte kaufe und bestand darauf, sie zu bezahlen.
"Solches Geld wie deins haben sie hier nicht."
Er bedankte sich, versicherte mir, dass ich eine wundervolle Frau sei und sagte beim Gehen:
"Ich bin jetzt in der achten Klasse!"

Heute: "Zuerst war ich beige, dann schokoladenbraun und jetzt bin ich sehr schwarz", überlegte Lukas. "Einmal war ich weiss. Und ich glaube, ich werde wieder weiss . . . . Sie sagen, dies ist eine Klinik. Ich werde wieder weiss."
Zum ersten Mal brachte ich seine Ideen über Schwarz/weiss nicht mit seinem Rassenkonflikt in Verbindung. Mir schien, dass er über gesund (weiss) und krank (schwarz) sprach.
Die Stunde begann wie üblich. Wir arbeiteten auf verschiedenen Ebenen: Übungen am Boden, im Sitzen und im Knien, schliesslich im Stehen und in der Bewegung durch den Raum. Die ganze Stunde hindurch war Lukas still und vollauf mit dem beschäftigt, was er tat. Als wir uns verabschiedeten, sah er mich fest an und sagte:
"Ich glaube, ich werde jetzt erwachsen. Ich habe sechs Monate dafür gebraucht."
Wir lächelten einander an. Er ging zur Tür hinaus.
Lukas und ich hatten genau sechs Monate miteinander gearbeitet.

Über dem Berg

"Es ist ok, ein Schwarzer zu sein"

Die von Lukas gemachte Zeitangabe konnte reiner Zufall sein. Das Gefühl des "Erwachsenwerdens" konnte auf seine Fortschritte auf den verschiedenen räumlichen Ebenen unserer Übungen zurückzuführen sein. Ich werde es wohl nie genau wissen. Aber innerhalb dieses halben Jahres entwickelten sich seine Reaktionen auf unsere gemeinsame Arbeit so gut, dass ich es an der Zeit hielt, ihn in eine meiner Gruppen aufzunehmen.

Die ersten beiden Monate waren von Rückschritten gekennzeichnet. Obwohl ich die Veränderung mit ihm besprochen hatte, fühlte er sich vermutlich betrogen. Es war augenscheinlich, dass er mich nicht mit anderen teilen wollte und meine ganze Aufmerksamkeit für sich allein beanspruchte. Er war eifersüchtig und wütend und weigerte sich schliesslich, mitzumachen. Er begrüsste mich nicht mehr, gab keine Hand, machte keine Hörner. Er sass einfach da, sass und liess seine schwarzen Augen jeder meiner Bewegungen folgen. Er sprach meinen Namen nicht aus, redete mich nicht an, sagte nicht einmal "oh, ooh.". Erstarrt sass er da und schwieg. Schon wollte ich nachgeben und wieder zu unseren Einzelstunden zurückkehren, als Lukas plötzlich einen Riesenschritt vorwärts tat.

Eines Morgens begrüsste er die Anwesenden mit seinen Hörnern. Ein paar Tage später galt seine Verbeugung ganz eindeutig mir, und dann . . . . eines Tages . . . .
Wir sassen alle auf dem Boden. Jeder von uns sollte sich eine Bewegung oder eine Folge von Bewegungen ausdenken und sie der Gruppe vorführen. Die anderen sollten dann versuchen, das Gesehene so genau wie möglich nachzuahmen. Die Reihe war an Lukas. Ohne zu zögern stand er auf und vollführte seine altbekannten Zwangshandlungen. Und es schien mir, als führe er diese vertrauten Bewegungen mit einer Art von stillem Stolz vor. Als die Teilnehmer versuchten, seine Gebärden nachzuahmen, betrachtete er sie kritisch und fing an, sie zu korrigieren. Geduldig zeigte er einem jeden, wie die Bewegungen ausgeführt werden mussten – die Hörner genau und richtig an die Stirn gesetzt, die Verbeugung in einem bestimmten Winkel, tief, aber nicht zu tief, die Bewegung am Hals mit Schärfe und das Streicheln über den Kopf sehr sanft. Er war der Meister seiner "Technik" und seine Schüler bemühten sich, von ihm zu lernen. Nach der Stunde wünschte mir Lukas "Fröhliche Weihnachten!" –

Von diesem Tag an beteiligte er sich mehr und mehr in der Gruppe und fing auch wieder zu reden an. Er nannte mich beim Namen. Er konnte mit den anderen lachen, konnte Hand in Hand mit Sophie herumhüpfen und Karl beim Wettlauf einholen.
Eines Tages brachte er einen anderen schwarzen Mann ins Studio.
"Trudi, dies ist mein Freund Jack. Er möchte auch tanzen, wenn es dir recht ist, oder, oder, oder?"
Es gab keinen Zweifel – Lukas war ein vollwertiges Mitglied der Gruppe geworden. Weitere sechs Monate arbeitete er konsequent in der Gruppe mit.

Als ich wusste, dass ich in einigen Monaten meine Arbeit in der Klinik aufgeben würde, beschlossen Lukas und ich, wieder allein zu arbeiten. Am Ende dieser Zeit machte ich ein paar letzte Notizen:

Es scheint so lange her zu sein, dass Lukas die Bemerkung machte, die mir Hoffnung auf seine Besserung gab:

"Zuerst war ich beige, dann schokoladenbraun und jetzt bin ich ganz schwarz. Sie sagen, dies ist eine Klinik . . . . ich werde wieder weiss."

Jetzt weiss Lukas, dass er in einer Klinik ist.
"Alles ist hygienisch hier. Ich werde auch hygienisch sein — so wie du und alle Leute, die Englisch sprechen. Nichts ist mit mir nicht in Ordnung, oder, oder, oder . . . . Vielleicht ist etwas mit mir nicht in Ordnung. Aber sie sagen, in dieser Klinik werde ich wieder gesund, wenn ich tüchtig arbeite. Ich arbeite gern. Ich will eine Arbeit haben."

Die Hinnahme seines Schwarz-Seins musste sich ihren Weg durch einen Dschungel von Verwirrungen bahnen:
"Du bist eine Weisse, rühr mich nicht an! . . . Du wirst dich stechen! Ich bin hässlich. Ich sah früher gut aus. Das war, ehe sie mich "Nigger" nannten. Ich würde mein Leben für die Weissen geben. Sie nannten mich früher "Weisser" oder "König". Sie wollten mich nicht, weil ich braun war."

Und dann waren da die Schwarz-Weiss-Symbole — das Zebra, der schwarze Wolf, das weisse Schaf.

Als wir unsere gemeinsame Arbeit wieder aufnahmen, schien Lukas von Schwarz-Weiss besessen. Alle anderen Farben der Skala, die er früher liebevoll und genau beschrieben hatte, waren aus seinen Fantasien verschwunden. Er sprach von Schnee und Russ, von weissen Adlern und schwarzen Falken. Er verkündete, dass er ein Opossum, ein Dominostein, eine Zeitung gewesen sei.

Schliesslich, vor gerade zehn Tagen, schloss Lukas plötzlich mit seiner Hautfarbe Frieden:
"Meine Mutter ist schokoladenbraun. Mein Vater war ein Afrikaner — sehr schwarz. Ich bin auch schwarz. Es ist nichts Schlimmes, wenn man schwarz ist."

Das war das Letzte, was ich über dieses Thema hörte. Lukas wusste nun, dass er schwarz war und konnte diese unabänderliche Tatsache annehmen.

Es war faszinierend zu beobachten, wie seine körperliche Genesung mit seiner seelischen Schritt hielt. Er kannte jetzt alle Teile seines Körpers, er berührte sie und konnte sie einzeln bewegen. Er wusste, was vorn, was hinten, rechts und links war. Er wurde entspannter, seine Atmung ausgeglichener und seine Haltung hatte sich drastisch verändert. Er wusste, dass ein Mensch aufrecht geht und ein Zebra auf allen Vieren läuft. Er bewegte sich — froh, ein Mensch zu sein.

Lukas lernte, seine Gefühle in Worten und in der Bewegung auszudrücken. Handlungen hindern ihn nicht mehr am Sprechen und das Sprechen beeinträchtigt seine Handlungen nicht mehr. Er hat keine Zwangsbewegungen mehr. Keine Verbeugungen vor dem weissen Mann mehr, keine Schuhzeremonien — diese fantastischen Lukas-Schöpfungen fehlen mir beinahe!

Lukas kann einen Mann von einer Frau unterscheiden und weiss, dass er ein Mann ist. Wenn er gelegentlich in eine Verzerrung der Gedanken zurückfällt, nimmt sein körperliches Verhalten einige der alten, vertrauten Bewegungen wieder auf, aber es gelingt ihm mehr und mehr, an der Wirklichkeit festzuhalten. Es ist eine Freude, ihm beim Tanzen

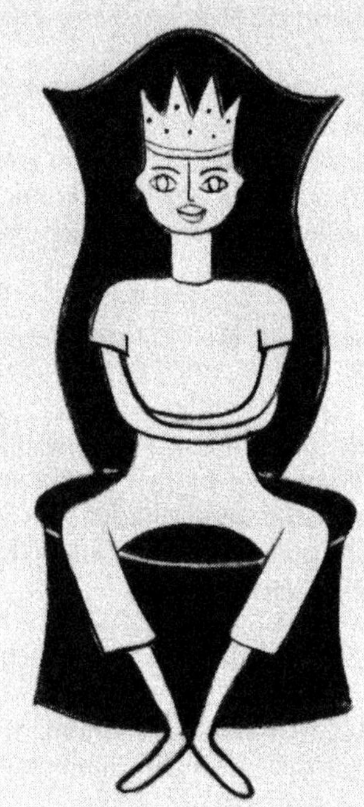

zuzusehen: wie er die "Schritte des weissen Mannes" mit seinen eigenen "schwarzen Formen und Rhythmen" verbindet.

Die Schilderungen in Lukas' Zeichnungen haben sich dramatisch verändert. Diese ersten von ihm gemalten Häuser – wie einsam sehen sie aus, wie von allem Lebendigen so weit entfernt! Als er dann Bäume hinzufügte, wie verkümmert und hilflos sahen diese Stämme ohne Äste aus! Welche Entschuldigungen er vorbrachte, wenn ich ihn fragte, wo die Menschen wären, die in diesen Häusern lebten: sie schliefen oder sie waren im Urlaub oder im Keller oder hinten im Garten. Wie flach seine Landschaften waren und wie drohend die Zeichen, Zahlen, Kreuze und Fragezeichen! Und die Sonne – immer mit dem einen Stern zusammen; Tag und Nacht, hell und dunkel, schwarz und weiss?

Als mir Lukas gegen das Ende unserer gemeinsamen Arbeit sein Bild mit dem Zug zeigte: er selbst im Führerstand der Lokomotive, seine Wagen über Geleise führend, die hoch hinauf und über die Berge führten, da war ich überzeugt, dass Lukas auf dem Weg über den Berg war und dass er gut auf der anderen Seite ankommen würde!

Ich wünschte so sehr, Lukas hätte die Vorteile einer konzentrierten psychoanalytischen Behandlung geniessen können! Ich war sicher, ihn darauf vorbereitet zu haben, seine Probleme sprachlich auszudrücken. Wie schade, dass dies damals noch nicht möglich war! Er hatte jedoch andere Vorteile genossen.

Als ich die Klinik zwei Monate später besuchte, war Lukas auf eine Station mit "Fortgeschrittenen" versetzt worden. Hier waren seine Mitpatienten der Wirklichkeit näher. Man hatte ihn in ein Arbeitstherapieprogramm integriert. Er hatte Talent zum Backen gezeigt und war nun einer der Bäcker der Klinik!

Lukas gab mir die Hand zur Begrüssung und führte mich zur Klinikbäckerei, um mir die Ergebnisse seiner Arbeit zu zeigen: Achtzig Laib Brot, "braun" und "schön anzusehen" lagen in säuberlichen Reihen nebeneinander, alle genau nach Westen ausgerichtet. Es war offensichtlich, dass er der Plazierung seiner Brote die gleiche Aufmerksamkeit widmete, die er einst seinen Schuhen zuwandte! Nur war jetzt alles zweckgebundener und wurde mit weniger Zeitaufwand bewerkstelligt! Tatsächlich schienen es die Brote fertig zu bringen, genau so stolz auszusehen wie Lukas, der neben ihnen stand, in fleckenloses Weiss gekleidet und mit seinem breitesten Lächeln!

Etwa drei Monate später kehrte ich zu einem weiteren Besuch zurück, aber Lukas war nicht mehr da. Dr. Keermuschel hatte gute Nachricht: Lukas war vor zwei Wochen aus der Klinik entlassen worden und arbeitete jetzt in einer Bäckerei in der Stadt.

Wo Du Dich jetzt auch befinden magst, Lukas, ich hoffe, Du hast eine Arbeit, einen Schnurrbart und ein Zuhause mit einer Familie darin .... Du verstehst, was ich meine?

Fröhliche, recht fröhliche Weihnachten!

... eine Zeitung .... – ein weisser König

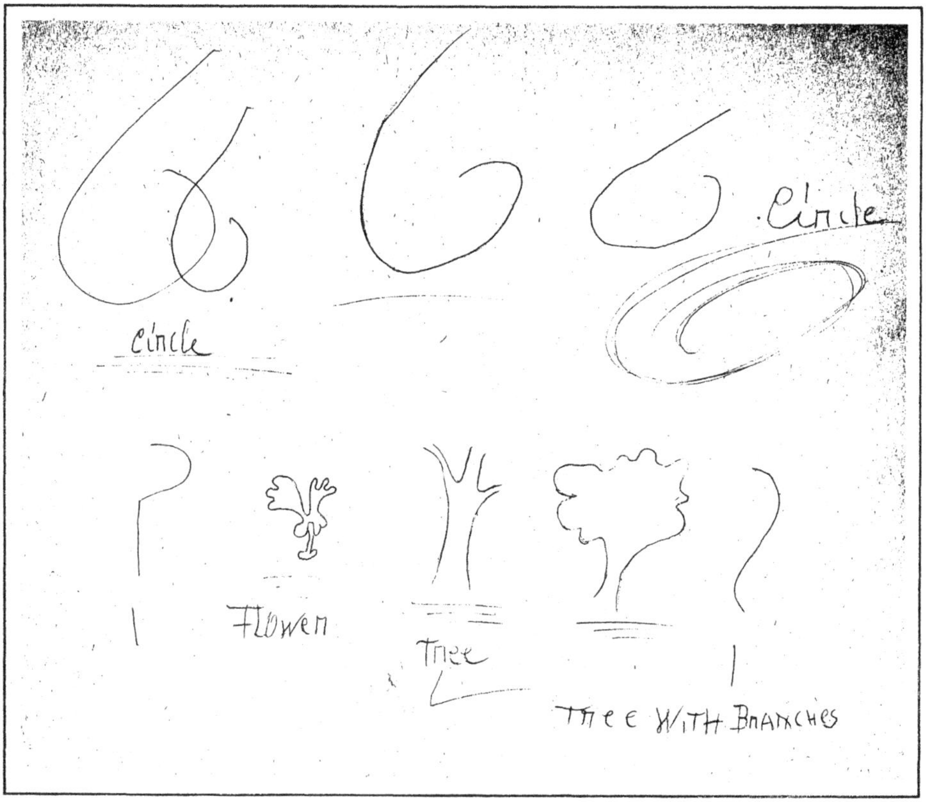
circle
circle
FLOWER
TREE
TREE WITH BRANCHES

27

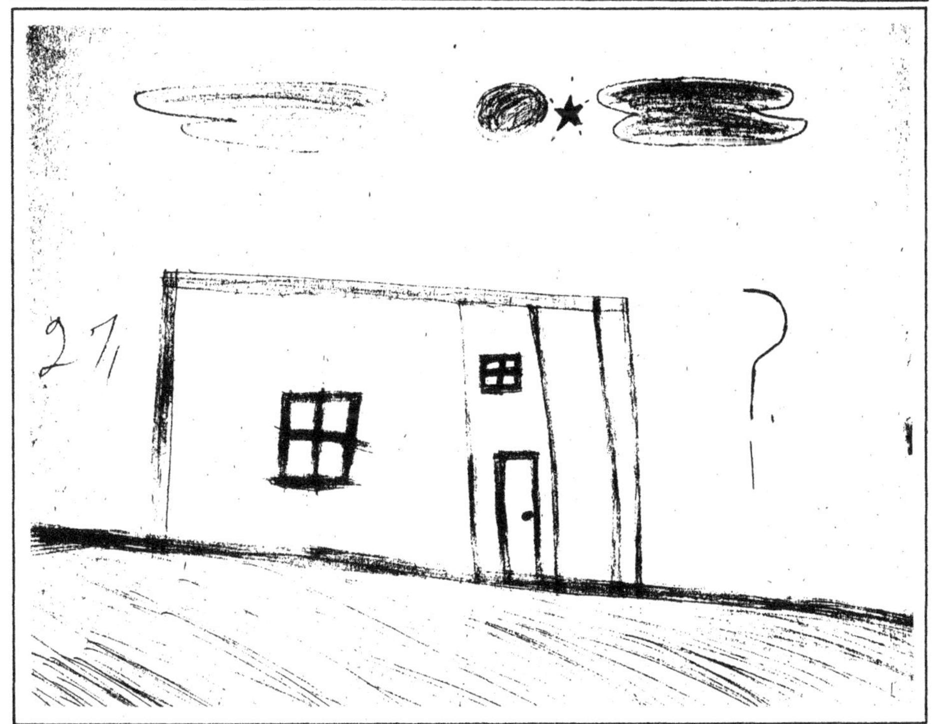

SEA GIRL
THUNDERBIRD
17

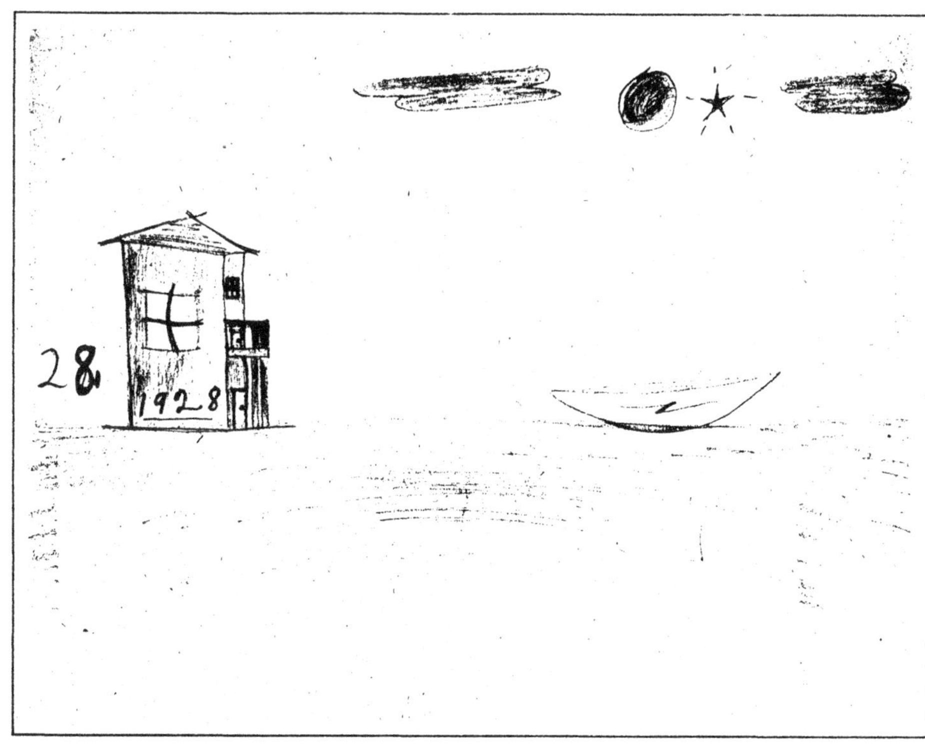
28
1928

MARLIN
10

EL. PASO
4

14.

13.

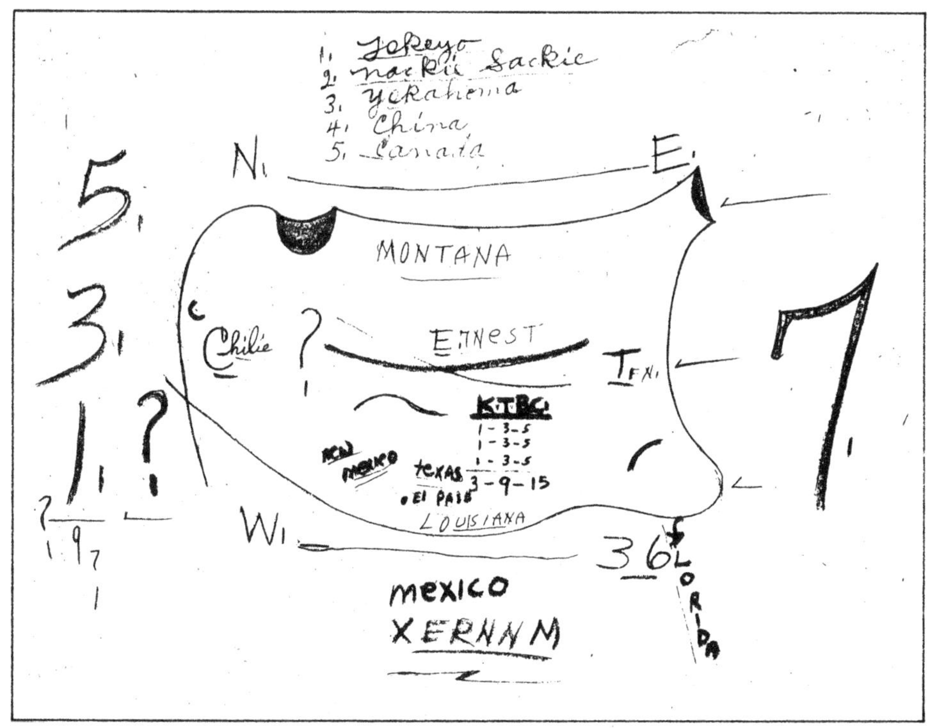

1. Tokeyo
3. Yokahoma
4. China
N.
E.
W.
5.
3.
1.
7.
MONTANA
Chilie
KTBC
1-3-5
1-3-5
1-3-5
texas
El Paso
3-9-15
LOUISIANA
36
FLORIDA
mexico
XERNNM

This is, Luke

Luke

BOY

GIRL

For Truddie

MOTHER

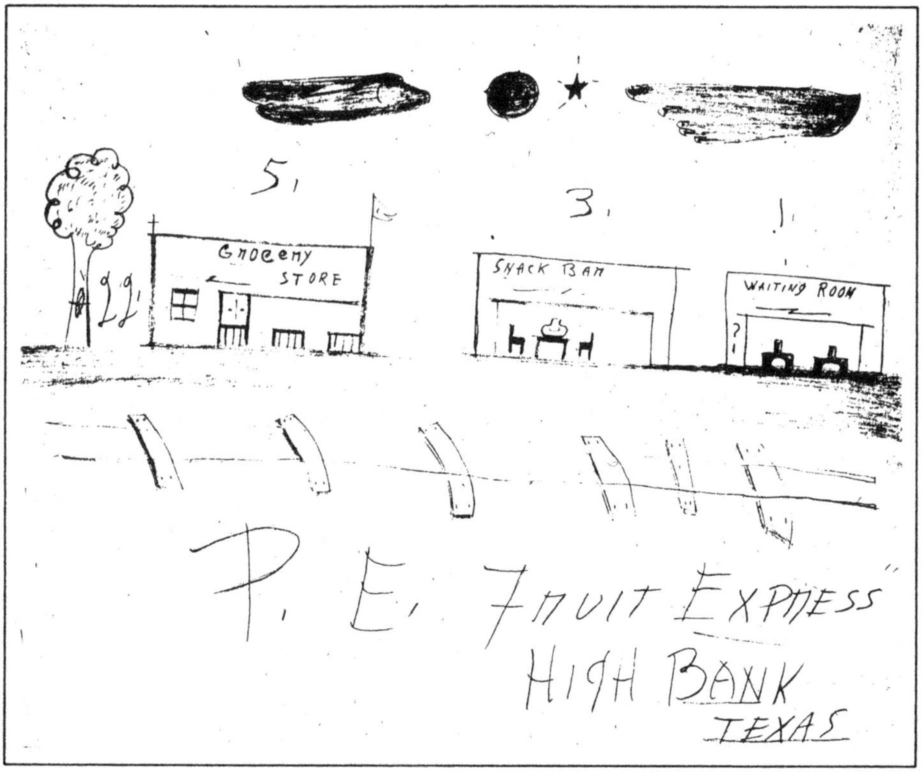

5.

3.

GROCERY STORE

SNACK BAR

WAITING ROOM

P. E. FRUIT EXPRESS"

HIGH BANK

TEXAS

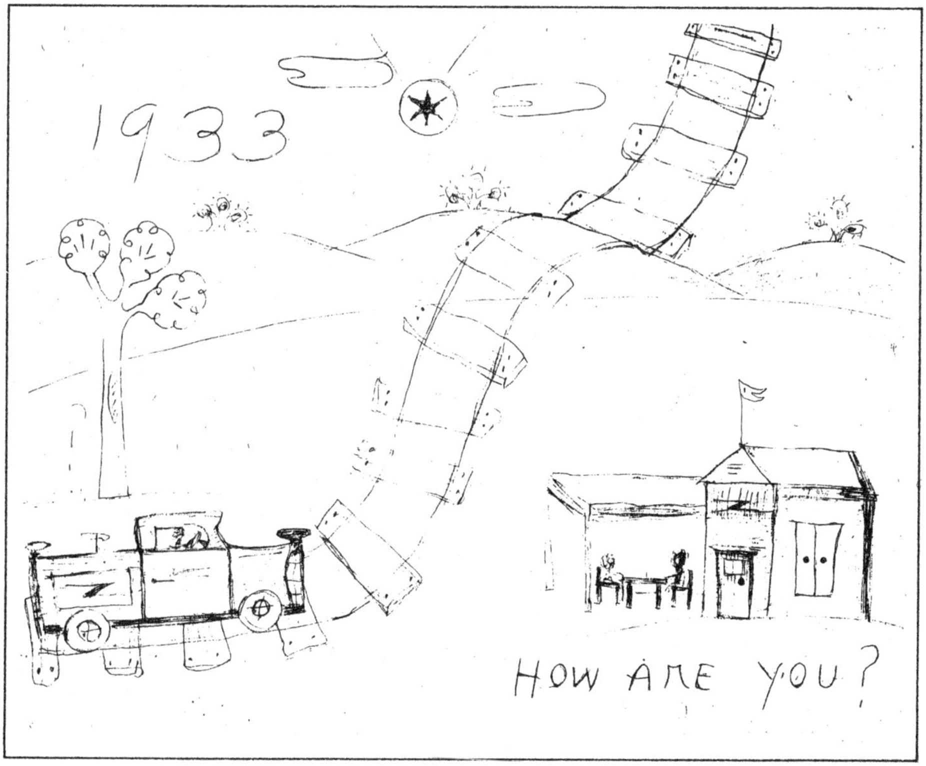

1933

HOW AME YOU?

Verzeichnis der Illustrationen